グローバル・ガバナンス
The Study of Global Governance

第**9**号
2023年3月

JN095062

グローバル・ガバナンス学会

なぜ今、経済安全保障推進法なのか

中村　登志哉

「あなたたちに残されているのは、あとわずか数時間だ。武器支援や財政支援をしても無駄でしょう。国際決済ネットワークである SWIFT からロシアの金融機関を排除することも意味はないでしょう。ロシアが傀儡政権を樹立することでしょう。笑顔を見せながら、彼はそう言うのです。今までの人生で最悪の会話でした。[1]」

ロシアがウクライナ侵攻を開始した直後の 2022 年 2 月 24 日、ドイツの首都ベルリン。武器支援や財政支援を求めて、クリスティアン・リントナー財務相（Christian Lindner）を訪れたウクライナのアンドリー・メルニク駐ドイツ大使（Andrij Melnyk、現外務次官）に、同財務相はそう言い放って支援要請を断ったという。大使が高級紙フランクフルター・アルゲマイネ新聞日曜版とのインタビューで明らかにした内容に、ドイツ国民からも戸惑いや批判が上がった。国の存亡がかかる局面で、藁をもつかむ思いで支援要請に出向いたところ、にべもなく断られた大使の心中は察するに余りある。同財務相はコメントを避けたが、ドイツ国内の複数のメディアがインタビュー内容を報道し、国外にも波紋を広げた。

あの日から、早くも 1 年が過ぎた。リントナー財務相の発言は確かに適切とは言い難かったが、同じような考えの欧州の政治指導者は恐らく彼一人だけではなかっただろう。実のところ、ウクライナが早晩敗北に追い込まれる可能性を念頭に置いていた政府関係者は少なくなかったのではないか。ところが、本稿執筆時点（2023 年 1 月）で、ロシアも侵攻を断念してはいないが、ウクライナは米国、英国などによる武器支援、欧州諸国や日本などからの民生物資・財政支援を得て反攻に転じ、依然として戦闘を続けている。まして、ロシアの傀儡政権など樹立されていない。

西側諸国の中でも、石油や天然ガスの輸入などを通して、緊密な経済関係を築いていたドイツは、ロシアによるウクライナ侵攻を自国への安全保障上の脅威と位置付け、石油・天然ガスの対ロ依存からの脱却を急ぐ。[2]他の欧州諸国と同様に、ガソリンや食糧、電気などあらゆる価格の高騰に悩まされてはいるが、当初見せたロシア寄りの姿勢を修正し、北大西洋条約機構（NATO）、欧州連合（EU）の加盟国と協調しつつ、ウクライナへの軍備・民生物資支援に尽力する。ドイツの状況を見て、市民生活にとって重要な物資を特定の国からの輸入に依存する危険性、すなわち経済安全保障への考慮を政策に反映させることの重要性は今改めて認識されていると言えよう。

1.　国際政治理論・国際政治経済学・サイバーセキュリティ研究の視角

本特集「経済安全保障のグローバル・ガバナンス」は、2022 年に開催された本学会第 15

回研究大会（於中京大学名古屋キャンパス）の共通論題「経済安全保障のグローバル・ガバナンス」に提出された論考を中心に構成される。本学会設立10周年記念を祝し、南カリフォルニア大学（米国）、サイモン・フレーザー大学（カナダ）など国外の大学のほか、内閣官房を含む多方面のご協力を得て開催された。

　新型コロナウイルスの世界的流行、ロシアによるウクライナ侵略等を契機として、戦略的に重要な物品の供給網（サプライチェーン）の重要性が日本においても改めて認識され、経済安全保障は喫緊の最重要課題として位置付けられた。2022年末までに「国家安全保障戦略」3文書が策定される予定になっていた重要な時期でもあり、有識者会議を通して専門家の意見聴取は進んではいたものの、本学会としてもグローバル・ガバナンス研究の観点から、経済安全保障について、国内外で活躍する研究者、内閣官房幹部との間で忌憚ない意見交換を交わすことは有意義であると考えたからである。

　基調報告は、2022年9月まで内閣官房副長官補兼国家安全保障局次長として経済安全保障推進法の制定をはじめとする経済安全保障政策を担当された滝崎成樹・内閣官房TPP等政府対策本部首席交渉官にお願いした。滝崎論文「経済安全保障をめぐる日本政府の取組」は、経済安全保障への取り組みが急務になった背景に、悪意を持って最先端技術の知的財産の窃取を試み、輸出入品を「武器化」して利用しようとする国々の存在があることを指摘し、同盟国の米国や友好国と協力し、戦略的に重要な物資の確保を維持できるよう環境を整備していくことが重要との認識を中心に、同推進法成立の背景を説明している。具体的には、同推進法の方向性に①自律性の向上、②優位性・不可欠性の確保、③基本的価値やルールに基づく国際秩序の維持・強化、の3点があるとする。①は、例えばサイバー攻撃や特定製品の輸出規制により、経済活動を含む国民の安全を損なう事態を防ぎ、影響を最小限にする備え、②は、先端的な重要技術や他国では生産し得ない製品を保持することにより、他国より優位な立場に立ち、国際社会で不可欠な存在となることを目的とする。③は、考え方を同じくする国と経済安全保障上の課題に関する共通の認識を醸成し、国際機関の邦人幹部職員数の増大や国際会議への積極的な参加・貢献等を通じて、通商・データ・技術標準等でルールの維持強化・構築を主導することを指す。こうした努力の一方、同推進法は経済安全保障の第一歩にすぎず、上述の方向性に沿って、政策を拡充する必要があるという認識を示す。

　これに対し、国際政治理論、日本外交などを専門とする川崎剛教授（サイモン・フレーザー大学）の論文「日本の大戦略における経済安全保障推進法」は、同推進法を国際政治理論のリアリズム、なかでも古典的リアリズムの理論的枠組みを用いて位置付ける。ロシアによるウクライナ侵攻、中国の急速な軍備拡大等により厳しくなった国際環境の中で、同推進法の成立が日本の安全保障にとって、日本のハードパワーを強化するという意味では一定の前進と位置付けることができるとしながらも、同法は依然として、守備的な性格にとどまり、数多くの課題を残していると分析する。具体的には、①同推進法は日本の経済安全保障政策体系の一部のみを占め、政策体系全体を司っていない、②同推進法に基づ

く施策を実施する際、多重で複合的な政策調整が不可避で、政策調整が推進法成否のカギを握ると指摘する。同時に、この種の議論は平時のものであり、有事の経済安全保障を考えることが急務であることを指摘する。例えば、台湾をめぐって日米同盟と中国が交戦状態に陥った場合、南海トラフ地震に代表される大規模災害が襲った際など、日本は経済活動をどう守るのか、どのような制限を受け入れるのか、平時には想像もつかない有事を想定した知的課題に挑戦し、日本としての大戦略（グランド・ストラテジー）を構築する努力が求められており、同法を出発点として議論を深める必要性を強調するのである。

次に、川口貴久会員（東京海上ディーアール）の論文「日本の経済安全保障政策におけるサイバーセキュリティ強化」は、経済安全保障推進法が取り扱う各分野のうちサイバーセキュリティ分野に着目し、その強化策を中心に分析する。同推進法により基幹インフラの事業者が重要な設備やソフトウェアを調達・選定する際、政府が「特定妨害行為」等のリスクの有無を事前チェックし、警察庁や公安調査庁等も民間企業や研究機関に技術流出防止のためサイバーセキュリティ強化を促すなど、経済安全保障の文脈で対策が強化されたことを指摘する。その背景には、激化する米中対立があり、特に2010年代以降、米国の観点から懸念されることとして、商業的優位の獲得を目的とし、中国政府が支援・関与するとみられる「高度で持続的脅威（APT）」が米国等の民間企業に対して行うサイバー攻撃、中国政府がその支配・影響下にある中国企業を介して、政府や重要インフラに行うサイバー攻撃への懸念の2点が挙げられるとする。

前者については、米国はパブリック・アトリビューションや刑事訴追などの対応を講じつつ、米中合意（2015年9月）による解決を模索したが、米国側の認識では米中合意は破綻し、今日まで中国によるサイバースパイ活動は継続している。日本は中国とのサイバー合意を締結しなかったが、パブリック・アトリビューション分野での米国等との政策協調や独自取組みで脅威認識を明確にしてきた。後者については、米国は2018年頃より、3つの規制（連邦政府の調達規制、通信業界の規制、より広範な規制）で対応した。日本はまず、2018年の政府調達における強化の申合せという形で対応したが、より広範な民間企業のインフラに対する抜本的な対応強化は同推進法を待たねばならなかったと指摘する。

他方、本誌にはペーパーは収録されていないが、研究大会においては、国際政治経済学を専門とする片田さおり教授（南カリフォルニア大学）が、近著『日本の地経学戦略』（2022年）で明らかにした調査内容を基に、「日本の地経学戦略と地域経済ガバナンス」と題する報告を行った。その中で、日本が戦後進めてきたアジア諸国との経済相互依存関係の発展と、経済安全保障の概念をどう両立させていくかが課題であるとの認識を示す。片田教授によれば、インド太平洋地域における経済ルール構築・維持が重要性を増したため、日本が中心となり「環太平洋パートナーシップ包括的・先進的協定」（CPTPP）を成立させ、「自由で開かれたインド太平洋（FOIP）」も打ち出した。ところが、2020年代に入り、コロナ禍による供給網の混乱、米中両国による経済相互依存の「武器化」やディカップリングに向けた動きが進行した。日本政府も経済安全保障を立法化し、産業の国内回帰や多

様化を奨励し、地域経済ガバナンスのルールをいかに発展させ、施行させるかという挑戦に直面した。日本は今後も、アジアがリベラルな世界秩序とルールに基づく開放的な経済システムを受け入れ、収斂するよう圧力を加える政策推進の重要なエージェントであり続けるだろうとの認識を示す。また、新型コロナウイルスの世界的流行は、この数十年アジア経済に繁栄をもたらした工業生産の域内分業やサプライチェーンの安定性に大きな不安を投げかけており、経済安全保障の重要性と、経済相互依存の両立が今後の地経学戦略の大きな課題になるのは間違いないというのである。⁽³⁾

2. 経済相互依存と経済安全保障の相克

　同推進法制定の実務に携わった立場からの滝崎論文、国際政治理論の視点から見た川崎論文、サイバーセキュリティ研究から見た川口論文、国際政治経済学の視点からの片田報告の中から浮かび上がった課題や論点として、主に次の2点がある。第1に、経済安全保障推進法は、日本が経済活動や国民生活に支障がないよう、悪意を持った国が試みる重要技術の窃取を阻止し、戦略重要物品や食糧が恙なく入手できるよう経済面において安全を担保する、守備的性格を持つにとどまるかどうか、ということである。第2に、前者の課題と関連するが、日本がこれまで取り組んできたのはアジア太平洋経済協力（APEC）などを通した経済自由化と経済相互依存を通した経済発展であり、経済安全保障の概念とは相容れない性格を持つ可能性があり、その両立は容易ではない。果たして、それは同推進法が想定する経済安全保障を履行する形で実行可能なのか否か、もし実行不能な部分があるとすれば、それはどんなことかである。

　第1点については、同推進法策定に携わった滝崎論文と研究者の論考で立場の違いが伺われる。滝崎論文は、先端重要技術の研究開発や開発支援に関する安全保障に関わる面も積極支援するのをはじめ、既存の法律の枠内でも経済安全保障上の措置をとる十分な余地があり、守備的性格を持つとの指摘は当たらないとの立場である。ただし、小林鷹之・経済安全保障相（当時）の発言を引く形で、同法が経済安全保障への取組の第一歩であり、新たな課題に取り組む中で、必要なものは同法に取り込む可能性を示唆し、その課題例として偽情報やディスインフォメーションを挙げ、対応強化の可能性を排除しない。他方、川崎論文は同法を守備的と位置付ける。同法は中ロ関係に楔を打つものでなく、中国の経済的脆弱性を高める、あるいは経済制裁を推し進めるものでもなく、西側陣営間の結束を図り、中ロ陣営に対する抑止力を強化するという防護策との認識である。加えて、モノ、ヒト、情報にかかわるあらゆる政策手段を駆使するという大戦略の視点にたてば、同法に含まれる4施策は経済安全保障政策全体の一部に過ぎず、食料安全保障の範疇に入る物資は戦略物資にほとんど該当しないなど、モノで課題を残し、ヒトでも、長期的な国力増強に不可欠の科学技術力・産業力の向上を目指す高度外国人材の受入促進や日本からの頭脳流出の抑制といった政策が必要だが含まれておらず、情報からも、防諜（カウンターイン

テリジェンス）の側面が概ね欠けており、モノ・ヒト・情報のいずれも今後の対応が不可欠との立場を示す(4)。川口論文も同推進法自体ではないが、「地経学」や「エコノミック・ステイトクラフト」が他国に対する強制や影響力行使といった攻めの面が強いのに対し、「経済安全保障」の考え方自体が守りの面が強いとの認識を示す。

　地経学について、ロバート・ブラックウィル（Robert D. Blackwill）は「国益を促進あるいは擁護するため、また地政学上有利な成果を生み出すために、経済的な手段を用いること」と定義する(5)。飯田敬輔らによれば、日本においてはこれまで、地経学とは多くの場合、「中国問題」を意味した(6)。中国の台頭により、アジア太平洋地域の諸国にとって最大の貿易相手国になったため、中国は経済的つながりを交渉の武器に使うようになり、地経学的政策を進めているとする。そして、米中貿易摩擦や米中対立が進む中、中国が実践している「地経学」に対して、米国が同じく「地経学」的手法で対抗していくことに他ならないと指摘する。

　第2点は、同法が2023年に施行され、各産業分野で対応策が順次実行に移されるにあたり、同法が企業や国内世論の支持を得て、実効性を担保できるかどうかである。この点で楽観を許さない点では、各論考は概ね一致する。滝﨑論文が「本来、経済活動は自由であることが望ましい」と述べているのは、日本が戦後に貿易を通して経済発展を遂げてきたことを踏まえれば明らかであり、研究大会の場において、国力を削いでしまっては意味がないことは理解していると述べている。片田報告も、2020年の新型コロナウイルスの世界的流行は、この数十年のアジア経済に繁栄をもたらした工業生産の域内分業やサプライチェーンの安定性に大きな不安を投げかけており、「こうした状況下で高まっている経済安全保障の重要性と、経済相互依存の両立がこれからの地経学戦略の大きな課題になっていく」との見方を示す(7)。川崎論文も、同法を実施する際に日本政府が直面する複合的な政策調整が試金石であり、カギを握るとみる。日本政府は、各省庁の政府内部、民間部門との関係、西側諸国との関係、のそれぞれにおいて政策調整を同時に図る必要があり、内紛が生じやすい構造的状況がある上、分断を狙う中ロ陣営から楔を打ち込まれる脅威にさらされながらの政策調整であるので、容易ではないとみる。研究大会の討論において、国際政治経済学の大矢根聡会員（同志社大学）は経済安全保障政策の必要性を認めつつ、同法との関連で焦点とされる対中関係について、その政策目的として中国の行動変容を促す、封じ込め、台頭の減速化などが考えられるが、現時点で判然とせず、さらに「インド太平洋経済枠組み」（IPEF）の14カ国すべてで対中貿易が最大であることをも考慮すれば、同法が想定する経済安全保障の担保が可能かを改めて問わざるを得ないと問題提起した。

　中国との関係は日本にとって最大の課題であり続けるのだろう。日中間には対立や緊張がある一方、経済相互依存関係がある。製造業を国内回帰させ、経済依存の是正を図る国や企業もあるが、行き過ぎれば、世界経済はブロック化する懸念がある。現下の厳しい国際環境下で、経済安全保障を担保しつつ、世界経済の活力を損なわない知恵が求められよう。

3. ウクライナ侵攻後の欧州における経済安全保障

　ロシアによるウクライナ侵攻後、対ロ依存の状態を急ぎ脱すべく、欧州諸国、なかでもドイツは閣僚がカタールやサウジアラビア、カナダなどを訪問し、代替の輸入先を確保する経済外交を展開してきた。それでもなお、ガソリンや暖房ガス、電気料金は高止まり状態で、ガソリンは1リッター当たり1.74ユーロ（約244円）程度の高水準で、市民生活への影響は小さくない。オラフ・ショルツ政権（Olaf Scholz）は、ロシアのウクライナ侵攻がドイツ自身にとっても安全保障上の脅威であると認識し、外交・安全保障政策の全面的見直しに着手し、軍備強化策が急ピッチで進む。

　この関連で思い出されるのは、本学会と早稲田大学、名古屋大学が協力して2019年に招聘した英王立国際問題研究所（チャタムハウス）上級研究員ハンス・クンドナニ氏（Hans Kundnani）の講演会で、同氏が強調していた経済安全保障的観点の不在である。ドイツは欧州において地経学大国として発展する一方、貿易を通したロシアと中国との強い経済的結びつきによって、「欧州の病人」と呼ばれるほどの景気低迷から、経済大国への道を遂げた。とりわけロシアとの関係について、ドイツは「貿易による変化」を信じ、ロシアを国内的には民主主義に、対外的には協力に向かわせる一番の方法を経済的な相互依存を高めることだと考えていた。このため、ロシアによる2014年のクリミア半島侵攻・併合は戦略的な衝撃であったにもかかわらず、経済制裁は科しても、防衛費の大幅な増額や軍事能力の改善、軍事ドクトリンの変更に踏み切らなかったのである。クンドナニ氏は講演で、ドイツや欧州諸国が遅滞なく、これらの対応策に動かなければ、ロシアに誤ったメッセージを送りかねないとの考えを強調していた。

　他方、ウクライナ侵攻後、中国による台湾侵攻の可能性が論じられるようになった。英国、フランス、ドイツ、オランダの欧州各国とEUは2020年から21年にかけて、それぞれインド太平洋戦略をとりまとめ、日本やオーストラリア、インドなどとの安全保障協力の強化に動く。欧州でも過度の対中経済依存への警戒感のほか、新疆ウイグル自治区のウイグル族に対する人権侵害、中国政府の意向を踏まえた中国企業による最先端技術窃取への懸念が高まり、EUと中国との間の包括的投資協定（CAI）は2020年末に合意されながら、欧州議会による審議の動きは事実上凍結、批准のめどは立たないなど、対中関係を見直す動きが続く。

　そうした中、EU加盟国や閣僚からも異論が相次ぐ中、ドイツのショルツ首相が2022年11月、中国側からの強い要請に応じる形で、自動車大手幹部等を同行して訪中に踏み切ったことは国内外に波紋を広げた。習近平・国家主席と会談し、エアバスのA320型132機、A350型8機の計140機、総額170億ドル（約2兆2440億円）の取引がまとまったことを中国側が発表した。首相は国内外の批判を意識し、「私が訪中する理由」と題する記事をフランクフルター・アルゲマイネ新聞に寄稿し、中国がドイツにとって最大の貿易相手国で

あり、ドイツは経済のディカップリング（切り離し）ではなく、過度の経済依存の是正を目指していく、と主張した。首相は訪中後、ジョー・バイデン米大統領（Joe Biden）とも電話会談し、対中政策の意見交換も行い、訪中への理解を求めた。しかし、国内外のメディアからは「ドイツがプーチンとの間で犯した（過度の経済依存という：筆者注）過ちの繰り返しとの批判」などの論評が相次いだ。首相自身が寄稿や電話会談で説明に追われたこと自体異例であり、この突然の訪中への違和感を示していた。ウクライナ侵攻等を機に結束を固めつつある民主主義諸国陣営に何とか楔を打ち込みたい中国側に利用されたのではないかという見方が広がった。[11]

　首相訪中とちょうど同じ時期、シュタインマイヤー大統領（Frank-Walter Steinmeier）が日本と韓国を訪問し、日本にも一定の配慮を示した形だったが、日本としては、G7やG20等の枠組みを通して、また、パブリック・ディプロマシーの強化を通して、ドイツやEU諸国とも対中政策について一層緊密なコミュニケーションと調整を図り、中国側に誤ったメッセージを送る結果とならないよう留意していく必要があろう。

おわりに

　上述のように、経済安全保障や地経学に関連する研究に関しては、本学会はこれまでも、研究大会における学会員の報告、有力な国外の研究者を招聘して開催した国際シンポジウムなど、数々の取り組みを積み重ねてきた。日本では現在、シンクタンクの日本国際フォーラムで「米中覇権競争とインド太平洋地経学」などの地経学関連のプロジェクトが実施され、アジア・パシフィック・イニシアティブ（API）に「地経学研究所」が設置されるなど、この分野の研究が各方面で盛んに進められるようになった。この度の特集で取り上げた経済安全保障推進法が2023年から施行されるのに伴い、対応を迫られる民間企業や団体を中心に今後、様々な反応が国内世論として出てこよう。米国や欧州諸国をはじめとして数多くの国々が経済安全保障を念頭に政策を再検討する状況の中、本学会としても引き続き、関連研究に積極的に取り組み、グローバル・ガバナンス研究を担う学会としての責任を果たしていきたいと考えている。

【注】
（1）　Livia Gerster, ‚Der ungewöhnlichste Botschafter aller Zeiten‘, *Frankfurter Allgemeine Sonntagszeitung*, 27 März 2022, https://zeitung.faz.net/fas/politik/2022-03-27/41f-792f983a7d40d510f0151b5206881/?GEPC=s3y（2023年1月9日アクセス）
（2）　中村登志哉「ロシア依存脱却が課題——独、軍事費を引き上げ」共同通信社、識者記事「視標　揺れる欧州安保」、2022年3月30日配信。ドイツがロシアや中国との間で進めてきた経済外交については、次を参照。中村登志哉「メルケル外交の16年——ドイツに繁栄と安定をもたらしたプラグマティズム」、『外交』、vol.70、2021年11・12月号、114-119頁。
（3）　片田さおり（三浦秀之訳）『日本の地経学戦略』（日本経済新聞出版、2022年）、243-244頁。

（ 4 ） 川崎が主張する日本の「大戦略」（グランド・ストラテジー）の必要性については、次を参照。川崎剛『大戦略論——国際秩序をめぐる戦いと日本』（勁草書房、2019 年）。

（ 5 ） Robert D. Blackwill, eds., *War by Other Means: Geoeconomics and Statecraft* (Cambridge: Harvard University Press, 2017), pp.19-21; ハンス・クンドナニ（中村登志哉訳）『ドイツ・パワーの逆説』（一藝社、2019 年）、訳者解説、224-225 頁。

（ 6 ） 飯田敬輔「経済『ディール』外交——トランプ時代の通商政策」日本国際フォーラム編『JFIR WORLD REVIEW Vol.2 特集 地経学とはなにか』（2018 年）、66-78 頁。

（ 7 ） 片田、上掲書、244 頁。

（ 8 ） 中村登志哉「独とは異なる財政事情」、毎日新聞、論点「防衛費 2％」論、2022 年 6 月 15 日付朝刊。

（ 9 ） Albee Zhang, Tim Hepher and Eduardo Baptista, 'China 'reheats' $17 bln Airbus deals during Scholz visit,' *Reuters*, 5 November 2022, https://www.reuters.com/business/aerospace-defense/china-aviation-supplies-buy-140-airbus-jets-worth-about-17-bln-2022-11-04/（2023 年 1 月 9 日アクセス）

（10） Olaf Scholz, „Darum geht es bei meiner Reise nach China ' , *Frankfurter Allgemeine Zeitung*, 3 November 2022, https://www.faz.net/aktuell/politik/inland/olaf-scholz-erklaert-seine-china-reise-offener-und-klarer-austausch-18431634.html（2023 年 1 月 9 日アクセス）

（11） Loveday Morris, Emily Rauhala and John Hudson, 'German chancellor's China trip echoes mistakes made with Putin, critics say', *Washington Post*, 3 November 2022, https://www.washingtonpost.com/world/2022/11/03/olaf-scholz-china-trip-germany/; Mark Hallam, 'Germany must 'be more careful' with China, Habeck tells DW,' *Deutsche Welle*, 13 November 2022, https://www.dw.com/en/germany-must-be-more-careful-with-china-habeck-tells-dw/a-63739753（2023 年 1 月 9 日アクセス）

（中村登志哉　名古屋大学大学院情報学研究科教授）

経済安全保障をめぐる日本政府の取組

滝崎　成樹

1.　はじめに

　ここ数年、経済安全保障の重要性が益々高まり、対応の必要性についての議論が活発になっている。与党自由民主党（以下「自民党」）においては、甘利明元経済再生担当相が座長となり議論が進められてきたが、政府においては、それと軌を一にして、2019 年 10 月に内閣官房国家安全保障局に経済班設置準備室が設置されたのが 1 つの節目となった（経済班は、2020 年 4 月に設置された。)[(1)] 筆者は、2022 年 9 月まで国家安全保障局で勤務し、[(2)]「経済施策を一体的に講ずることによる安全保障の確保の推進に関する法律」（以下、「経済安全保障推進法」）を始め経済安全保障に係る諸施策の立案に関与する機会を得た。本稿では、なぜ今経済安全保障なのか及び政府の取組を紹介するとともに、今後の課題について概観することとしたい。なお、本論文は原稿執筆時（2022 年 11 月末）の情報に依拠して書かれたものである

2.　なぜ今経済安全保障なのか？

（1）　世界が大きく変化

　なぜ今経済安全保障の重要性が叫ばれるのか。これは偏に世界が大きく変化していることによると思われる。軍事転用され得る革新的な民生技術が出現し、それをどのように相手陣営に流出することを防ぐかは、以前からある問題点であった。原子力関連技術・製品、素材、IT 関連の技術・製品等がこれに当たろう。古くは、日本企業が関わった東芝ココム事件が大きな話題となった。最近では、北朝鮮の核・ミサイル開発に西側の技術や製品が寄与したのではないかとの指摘がある。

　近年の動きは、これらとは様相を異にしている。安全保障と経済を横断する領域で各国が革新的な技術の研究開発を積極的に行うことにより国家間の競争が激化する等、安全保障の裾野が経済あるいは技術の分野に急速に拡大するという状況が生じている。あるいは、自国の戦略的利益確保の観点から経済的依存関係を利用する動き、経済活動をある意味悪意を持って使おうとする動きが見られるようになっている。その動きは、経済活動はもちろん、国民生活にも多大の影響を及ぼすようになっているというのが現在の状況と言えよう。

　本来、経済活動は自由であることが望ましい。自由な経済活動こそ活力を生み、発展を可能にすると長年に亘り信じられてきた。[(3)] しかしながら、経済活動を自国の利益を伸長す

るために悪意を持って利用する動きが顕著となってきている今、自由な経済活動として市場原理・経済政策に委ねられてきた事象を国家・国民の安全を守る（この場合の「国民」には、経済活動も含まれる。）という意味での安全保障の観点から捉え直す必要が生じている。

　経済活動や国民生活にまで影響が及ぶとは、どのような事態を想定すればいいであろうか。例えば、コロナ禍において、特定の国にマスクや医療用ガウンをほぼ頼り切っていたことにより、深刻な品不足が生じた、あるいは、コロナ禍からの世界経済の急速な回復段階において、生産が追いつかず深刻な半導体不足に陥り様々な製品の生産・流通に多大の影響が出ているといった状況がこれに当たろう。ただし、これらは、決して悪意のある特定の国又は勢力が何らかの行動をとったために起こったものではない。しかしながら、これらの事態は、悪意を持って行おうとすれば容易に起こることである。また、ロシアのウクライナ侵略に伴い、世界はエネルギーや食糧の不足に直面することとなった。これも、戦闘行為や制裁に伴い流通に困難が生じていることによるものであり、悪意を持った経済活動によるものではないが、同様の事態は、悪意を持った者の経済活動により容易に生じ得るものと考えなければならない。

　悪意を持った者の活動により我が国で生じた最近の事例としては、大阪市の病院で起きた事例が挙げられる。(4) 2022 年 10 月 31 日、大阪府立大阪急性期・総合医療センターが、身代金目当てのサイバー攻撃を受け、翌 11 月 1 日も緊急の手術と緊急の予約患者のみにしか対応できない事態となり、11 月 10 日になってやっとバックアップ・データで一部再診患者の受入れは再開されたものの、システムの修復・サイバー攻撃に対する安全性の確認等に更に時間を要するため、新規患者の受入れは当面困難な事態となっている例である。(5)

　経済活動や国民生活に影響が及ぶ事態が起きないよう、あるいは、起きた時にも被害を最小限にとどめ適切に対応措置がとれるようにしておこうというのが経済安全保障の考え方である。

　なお、「経済安全保障」については、現段階では、我が国を含む主要国において確立した定義がある訳ではない。小林鷹之経済安全保障相（当時）も、「経済安全保障」について、「この法案においても、特段、定義づけというのは行っておりませんが、あえて分かりやすく申し上げれば、国家そして国民の安全を経済面から確保することと言えるのではないかと思います、それを定義というかどうかは別として。」と述べている（2022 年 3 月 23 日、衆議院内閣委員会）。(6)

（2）　我が国としての方向性

　経済安全保障をめぐる我が国の基本的な大きな方向性は、3 つである。①自律性の向上、②優位性・不可欠性の確保、③基本的価値やルールに基づく国際秩序の維持・強化である。

　①自律性の向上とは、外部から行われる行為、例えば、サイバー攻撃や特定の産品・製品の輸出規制といったものにより、国家及び経済活動を含む国民の安全を損なう事態を防

ぎ、仮にそのような事態が起こったとしても、影響を最小限にするような備えを予めしておくということである。また、②優位性・不可欠性の確保とは、先端的な重要技術や他国には生産し得ない製品を保持することにより、他国より優位な立場に立ったり国際社会において不可欠な存在となることを目的とする。③基本的価値やルールに基づく国際秩序の維持・強化とは、国際社会の考え方を同じくする国と共に経済安全保障上の課題に関する共通の認識を醸成したり、国際機関における邦人幹部職員数の増大や国際会議への積極的な参加・貢献等を通じ、通商・データ・技術標準等でルールの維持強化・構築を主導していくことである。ともすれば、これまで我が国は、既に制定された規則・標準等に自らの製品を適合させていくことに多大の労力を割いてきたが、これからは、自ら規則・標準等の策定を主導し、ルール面でも自国にも有利な状況を作り出していかなければならない。

　これら３点の方向性をやや分かりやすく表現してみよう。「まもる」、「そだてる」、「つくる」が目標と言ってもいいかもしれない。①自律性の向上は、外部からの脅威を減少させ、強靱性を増すことにより国家と国民の安全を「まもる」ことであり、②優位性・不可欠性の確保は、国際社会で優位な地位に立ち不可欠な存在となるために、先端的な重要技術・製品を「そだてる」ことである。さらに、③基本的価値やルールに基づく国際秩序の維持・強化は、基本的な価値やルールを自国に有利なように「つくる」ことだと言えよう。これらの目標を実現するためには、世界の動きや具体的な脅威等必要な情報を収集・分析することが不可欠であり、「しる」も重要な目標として掲げる必要があろう。

　経済安全保障推進法について、守備的なものに過ぎないとの意見を表明する向きもある。何をもってそのような主張となるのかは定かではないが、同法のうち、少なくとも、先端的な重要技術の開発支援に関する制度の創設に係る部分は、決して守備的なものではなく、その指摘は的を射ていないと思われる。この制度は、先端的な重要技術の研究開発とその成果の適切な活用を資金に係る面、及びこれまで安全保障に係る研究開発では必ずしも円滑に行われていたとは言い難い産官学の連携を協議会の設置という枠組みを提供することで、積極的に支援していこうとするものである。この協議会には、参加者の同意の下国家公務員と同等の守秘義務を求めることによって、政府の有する機微な情報も提供されることになっており、その意味でもその成果が期待されている。

　なお、同法は、これまでの法的枠組みでは不十分な部分について手当てしたものであり、既存の法律の範囲内でも守備的ではなく積極的に経済安全保障上の措置をとる十分な余地があることは言うまでもない。

3.　政府の取組

(1)　これまでに着手した取組

　末尾図１のとおりであるが、①自律性の向上については、これまでも、政府としては、基幹産業の複雑化したリスクへの対応と脆弱性を点検・把握するために、関係省庁が連携

して取り組んできている。⁽⁷⁾また、令和3年には、「重要施設周辺及び国境離島等における土地等の利用状況の調査及び利用の規制等に関する法律」（いわゆる「重要土地等調査法」）を制定し、重要施設周辺等の土地等所有について、実態の把握を強化する措置をとった。

②優位性・不可欠性の確保については、機微技術の流出防止の一助として留学生等の受入れ審査の強化等、③国際秩序の維持・強化については、国際機関の邦人幹部職員数の増加等を図っている。2022年9月30日、国際電気通信連合（ITU）電気通信標準化局長選挙が行われ、日本の候補である尾上誠蔵氏が次期局長として選出されたが、これはこのような努力の一環である。同選挙に先立つ事務総局長選挙において、米国の候補が次期事務総局長に選出されたことから、米国とも連携しつつ経済安全保障上も極めて重要な通信ネットワーク分野の標準化における公正で開かれたルール作り等で国際社会に貢献できる素地が整ったと言える。

(2)　経済安全保障推進法

本年5月、通常国会において、経済安全保障推進法が成立した。法制上の手当が必要となるものとして、①特定重要物資の安定的な供給の確保に関する制度、②特定社会基盤役務の安定的な提供の確保に関する制度、③特定重要技術の開発支援に関する制度、④特許出願の非公開に関する制度の設立を内容とするものである。現在運用に向け着々と準備が進められている。

この4分野が喫緊の課題として法案の形で国会に提出された理由として、小林経済安全保障相（当時）は、次のように述べている。「革新的技術が出現してきている、経済もグローバル化してきている、あるいは社会のDX化が進んでいる、また、それに伴う産業構造の変化を受けまして、その洗い出しつつある様々な課題の中でも、特に法制上の手当てが、また分野横断的な課題であって喫緊の政策課題に対応しなければならない、それをこの四項目として洗い出した上で、この安全保障の確保に関する経済施策の制度整備を行う法案として国会に提出させていただいたところでございます。」（2022年3月23日衆議院内閣委員会）。これに続けて、「これが経済安全保障のすべてだと申し上げるつもりはありません。」と述べ、提出された法案が、政府の経済安全保障への取組の第一歩であり、今後とも不断の検討を行い、新たな課題に取り組む中で、法制化が必要なものについては、経済安全保障推進法の中に取り込んでいく可能性を示唆している。

経済安全保障は、言うまでもなく日々動く世の中の経済の動き、あるいは、科学技術の発展に密接に関係するものである。その意味で、そのような動きや発展に応じ機敏な対応が求められることとなるが、4分野のそれぞれについて、末尾にイメージ図を掲げ簡潔な説明に換えることとする。

a　特定重要物資の安定的な供給の確保

特定物資や原材料のサプライチェーンの強靱化に関する取組であり、国民の生存に必要

不可欠又は国民生活・経済活動が依拠している重要な物資の安定的な供給の確保を図るため、特に安定供給を図る必要がある物資として「特定重要物資」を指定し、民間事業者による安定供給確保のための取組に関する計画の認定・支援措置や特別の対策としての政府自らによる取組等を措置する（末尾図2）。

　b　特定社会基盤役務の安定的な提供の確保

　基幹インフラサービスの安定供給の確保に関する取組であり、国民生活及び経済活動の基盤となる役務であって、その安定的な提供に支障が生じた場合に国家及び国民の安全を損なう事態を生ずるおそれがある「特定社会基盤役務」を安定的に提供するために重要な設備が、我が国の外部から行われる役務の安定的な提供を妨害する行為の手段として使用されることを防止するため、重要な設備の導入・維持管理等の委託の事前審査や勧告・命令等を措置する（末尾図3）。

　c　特定重要技術の開発支援

　将来の国民生活及び経済活動の維持にとって重要なものとなり得る先端的な重要技術のうち、当該技術が外部に不当に利用された場合等において、国家及び国民の安全を損なう事態を生ずるおそれがある技術（「特定重要技術」）について、研究開発の促進とその成果の適切な活用のため、資金支援、官民連携を通じた伴走支援のための協議会の設置、調査研究業務の委託（シンクタンク）等を措置する（末尾図4）。

　d　特許出願の非公開

　安全保障上機微な発明の特許出願につき、公開や流出を防止するとともに、安全保障を損なわずに特許法上の権利を得られるようにするため、保全指定をして公開を留保する仕組みや外国出願制限等を措置する（末尾図5）。

(3)　民間部門との連携

　経済安全保障に取り組む上で、その重要性に関する関係者の理解を促進する努力を含め、企業等民間部門との連携は不可欠である。また、政府がいかに経済安全保障の重要性を訴え諸施策を整備しようとも、経済活動の主体は民間企業であり、民間企業の理解と協力がなければ政策の目標を実現することはできない_{。(8)}

　最近、経済安全保障、特に、サイバーセキュリティの重要性を認識し、担当役員を置いたり担当の部署を新設する等して取組を強化している企業も多く見受けられるようになった。しかしながら、サイバーセキュリティ上の脆弱性への対応やサプライチェーンの確認・調整には、費用、労力、時間がかかる面が多く、まだ緒に就いたばかりのところがあるように思える。経済安全保障においては、単に政府の取組だけでは十分ではなく、官民挙げて臨むことが不可欠である。その意味で、政府としては、引き続き民間企業の理解を促進

するための努力を続けていくことが必要であり、一方で民間企業の要望、懸念、直面する困難にも十分に耳を傾けていくことが必要となる。

　経済安全保障推進法案の策定に当たっても、民間企業の意見に十分耳を傾けるよう努めてきた。2021 年 11 月に、経済安全保障法制に関する有識者会議を設置し（座長：青木節子慶應義塾大学大学院教授）、分野別検討会合も含めると延べ 16 回の会合を持った。この有識者会議には、学識経験者のみならず、経済団体の代表、企業関係者にも参加頂き、熱心な議論の末、経済安全保障推進法案の目指すべき内容について幅広く貴重な示唆を頂いた。

　このような公式な形の意見集約に加え、経済団体からは別途意見を頂く機会を設けたほか、特に、基幹インフラ役務の安定的な提供の確保に関する制度については、基幹インフラ役務を提供する業界の団体や対象となる可能性のある事業者からも意見を聴くよう努めた。このように丁寧に関係者の意見を聴きながら物事を進めて行こうという姿勢は、実際の施行に当たっても維持されている。岸田文雄総理も、「本法案の施行に当たっては、基本方針及び基本指針において考え方を明らかにしつつ、具体的な政省令の制定に際しても幅広く関係者の意見を聞くなどを通じ、過度な規制措置によって事業者の経済活動が萎縮することがないよう十分配慮してまいります。」と述べている（2022 年 4 月 13 日、参議院本会議）が、先に述べた有識者会議が 2022 年 7 月に再開し、法の施行その他必要な事項についての意見の聴取が行われている。

4.　今後の課題

　経済安全保障推進法の内容は、経済安全保障上の様々な課題の中でも、分野横断的な課題であって喫緊に対応しなければならず、かつ、特に法制上の手当てが必要なものに限ったものである。その意味で、経済安全保障への取組の第一歩に過ぎない。今後とも、不断に検討し、新たな課題に取り組んでいく必要があり、法制上の手当てが必要なものについては、同法の改正等により対応していくことが必要となろう。その際、経済活動は基本的に自由であり、市場に委ねることが最適かつ最大の利益を実現するのに適切であるとの考え方に立つのであれば、有効な規制と競争力の維持（＝自由な市場・経済活動）のバランスをいかにとるかが重要な課題となって来るであろう。

　では、今後の課題として想定されるものをいくつか指摘しておきたい。

(1)　「国家安全保障戦略」における経済安全保障の位置づけ

　まずは、2022 年末に向け現在策定中の「国家安全保障戦略」の中で、経済安全保障を明確に位置づけることが必要である。岸田総理は、経済安全保障推進法案の審議の中で、「AI、量子など革新的技術が出現する中、安全保障と経済を横断する新しい課題が国家安全保障上の重要課題である経済安全保障の問題として広く認識されるようになってきたところで

す。このような状況も踏まえ、新たな国家安全保障戦略の策定に当たっては、経済安全保障も重要な課題として位置付け、政府としてしっかりと議論をしてまいります。」（2022 年4 月 13 日、参議院本会議）と述べている。また、自民党と公明党で作る与党実務者協議においては、10 月下旬に、経済安全保障を新戦略に盛り込むことで一致した旨報じられている。

（2）　その他の課題

　その他の課題については、2022 年 6 月 7 日に閣議決定された「経済財政運営と改革の基本方針 2022 について」（いわゆる「骨太の方針[13]」）にその一部の言及がある。そこでは、重要情報を取り扱う者への資格付与についての制度整備、次世代に不可欠な技術の開発・実装の担い手となる民間企業への資本強化を含めた支援、政府が扱う情報の機密性等に応じたクラウドの技術開発等への支援・クラウド等に係る政府調達への反映、経済安全保障の推進体制の強化と情勢の変化に柔軟かつ機動的に対応する観点からの関係省庁の事務の調整を行う枠組みの整備、インテリジェンス能力の強化のための情報収集・分析等に必要な体制の整備等が挙げられている。

a　重要情報を取り扱う者への資格付与制度の整備

　このうち、重要情報を取り扱う者への資格付与についての制度整備については、いわゆるセキュリティ・クリアランスの文脈で語られることが多い。諸外国との共同研究や外国政府機関の調達への参加に当たって、セキュリティ・クリアランスを我が国でも取得できないかといった声が民間企業に存在する。この関連では、衆議院・参議院両院の内閣委員会でそれぞれ「国際共同研究の円滑な推進も念頭に、我が国の技術的優位性を確保、維持するため、情報を取り扱う者の適性について、民間人も含め認証を行う制度の構築を検討した上で、法制上の措置を含めて、必要な措置を講ずること」との内容を含む附帯決議が採択されている。

　政府としても、本問題は、今後検討を行っていくべき課題の 1 つであると認識している。一方で、セキュリティ・クリアランス制度は個人の情報に対する調査を含むものであり、国民の理解の醸成の度合い、海外においてクリアランスの取得を要請される具体的事例の検証等を先ずは踏まえる必要があるとの認識である[14]。

　本問題についても、10 月下旬の自民党・公明党の与党実務者協議において、国際的な共同開発などに際し、重要情報を扱う個人の適性を審査して資格を与えるいわゆるセキュリティ・クリアランスの「国家安全保障戦略」への記載の必要性に関して意見が一致したと報じられている。民間企業等のニーズに応えるためにどのような方策が考えられるであろうか。専門家が言及する方策としては、例えば、企業が国際共同研究や他国政府の調達に参加する際に、日本政府がそれに参加する企業やその社員にお墨付きを与えるといったものなどがある。いずれにせよ、どの程度ニーズがあるのか、実効性はどの程度あるか等を

しっかりと見定め、丁寧に議論していくことが必要である。

b 経済安全保障推進体制の整備

また、経済安全保障の推進体制の強化や関係省庁の調整の枠組みの整備も、取組が実効性のあるものとするために不可欠である。政策調整が経済安全保障の成功の鍵であるとの指摘があるが、その指摘は的を射ている。経済安全保障推進法の制定に伴い、国家安全保障会議設置法も改正し、内閣総理大臣がトップを務め、日本の安全保障戦略を形成する上で重要な同会議の所掌事務に、従来の「外交政策」及び「防衛政策」に「経済政策」を追加し、安全保障に経済面からもアプローチすることを明確にしたが[15]、その意義は大きいと考える。同会議の事務局を務める国家安全保障局が、同会議での議論を踏まえ経済安全保障に関する司令塔機能を引き続き果たすことになる。

また、経済安全保障推進法案の審議中は、小林経済安全保障相（当時）は、「新しい、この法案が仮に成立すれば、内閣府にこの経済安全保障のこの法案を執行するためのその部局というのをつくっていかなければいけないと思っています。」とのみ述べるにとどまっていたが（2022 年 4 月 26 日参議院内閣委員会）、2022 年 8 月 1 日に、同法の一部（総則、特定重要物資の安定的な供給の確保に関する制度及び特定重要技術の開発支援に関する制度）が施行されるのに合わせ、内閣府に経済安全保障推進室が設置された。同室は、必要な手続を経て更に強化されたものとなることが予定されている。

c 偽情報

また、小林経済安全保障相（当時）が、「必ずしも経済安全保障だけの文脈ではないが社会を混乱させる偽情報やディスインフォメーションへの対応は喫緊の課題である。」と述べているように[16]、悪意を持った国や集団による民主主義国における選挙への偽情報を活用した介入やロシアのウクライナ侵略に伴う偽情報を用いた活動を見るにつけ、これらへの対策も、対応が求められる課題であることは間違いない。

5. おわりに

我が国を取り巻く安全保障環境は益々厳しさを増し、経済安全保障の重要性も増している。「国家安全保障戦略」にも明確に位置付けられることとなるかもしれない。しかしながら、我が国の対外的な基本戦略、すなわち、日米同盟の強化、ASEAN 諸国も含めた近隣諸国との安定的な関係の維持、経済外交の推進の 3 本柱は変わらないと思われる。その基本的な戦略の中の重要な要素として経済安全保障の考え方を取り入れていくことになるのであろう。実際に、2022 年 1 月の林芳正外相の第 208 回国会における「外交演説」を見てみても、この 3 本柱が維持された上で、経済安全保障については、特に、その重要性が強調されている。「自由で公正な経済秩序の拡大に向けた国際的取組を主導していきます。」と

述べた上で、「経済安全保障は岸田内閣の最重要課題の１つであり、政府一丸となって取り組んでいます。外務省としても、国際法上の観点も踏まえつつ、同盟国・同志国との連携強化や新たな課題に対応する規範の形成など、積極的に貢献していきます。」と続けている[17]。

　経済安全保障も、安全保障政策の一部であることから、同盟国・同志国等基本的価値や基本的考え方を共有する国との協力・連携が不可欠である。その意味では、これらの国との２国間での協力・連携が重要であることは言うまでもなく、既に様々な協力が進展している。

　一方、多数国間の枠組みも有効に活用していく必要がある。日米豪印（クワッド）協力においては、経済安全保障分野の協力は着実に進展しており、2022年５月の首脳会合では、重要・新興技術に関し、「重要技術サプライチェーンに関する原則の共通声明」を発表したほか、当局間で「5Gサプライヤー多様化及びオープンRANに関する新たな協力覚書」が署名された。また、サイバーセキュリティに関しては、「日米豪印サイバーセキュリティ・パートナーシップ」を立ち上げ、この下で具体的な取組を進めていくことが確認された。

　2022年５月に日米を含む13か国（その後フィジーが加わり14か国に）の首脳により東京で立ち上げられたインド太平洋経済枠組み（IPEF）においても、貿易、クリーンエネルギー・脱炭素化・インフラ、税・腐敗防止と共にサプライチェーンは柱となっており、今後これらに関する経済協力を強化する様々な方法について議論を行うこととされている。サプライチェーンについては、「我々は、より強靱で統合されたサプライチェーンとするために、サプライチェーンの透明性、多様性、安全性、及び持続可能性を向上させることにコミットする。」と謳われている（「繁栄のためのインド太平洋経済枠組みに関する声明」）。

　自由で開かれたインド太平洋（FOIP）に関連する協力においても、サプライチェーンの問題は重要なテーマである。また、「環太平洋パートナーシップ（TPP）協定」及び米国の離脱を受け作成された「環太平洋パートナーシップに関する包括的及び先進的な協定（TPP11協定）」は、これまで高い水準の、野心的で、包括的な、バランスの取れた経済連携協定であることを売りにしてきた。しかしながら、締約国が基本的な考え方を共有する国であることを踏まえれば、今後単なる貿易協定の枠を越え同志国の間で経済安全保障に係る協力も進め得る枠組みへと発展することが期待されるところである。

　以上、経済安全保障を巡る現状につき概観してきたが、経済安全保障に関する政策を推進し、その効果を最大化するためには、官民の協力に加え学界の建設的な関与も不可欠である。忌憚のない御意見及び御提言を期待して筆を置くこととしたい。

　付記
　本稿は、筆者個人の見解をまとめたものであり、必ずしも政府の見解を反映したものではない。

【注】

（１）　小林鷹之経済安全保障相（当時）は、インタビューに答え、当時の自民党内での議論について次のとおり回想している（東京海上ディーアール㈱『Talisman：経済安全保障と企業の対応（TL-18）』、2022年9月、3頁）。「当時、技術流出については与党内でも議論が不足していた。そこで甘利明代議士、山際大志郎代議士、私の3人が中心となって、この問題に関して集中的に議論を行った。技術流出防止に加えて、外為法改正、機微な発明の非公開化など7、8の課題を議論した。（中略）その大きな成果が、自由民主党政務調査会と新国際秩序創造戦略本部による提言『『経済安全保障戦略策定』に向けて』（2020年12月公開）だ。現在でも、ここでの提言内容をベースとしながら、議論・検討を続けている。」

（２）　前内閣官房国家安全保障局長の北村滋は、その著書の中で、安倍晋三総理（当時）に、経済班を設置する旨説明したところ、「遅かったぐらいだ。」と言われた旨当時の経緯を述べている。北村滋『経済安全保障——異形の大国、中国を直視せよ』（中央公論新社、2022年）、177頁。

（３）　岸田文雄総理は、国会で以下のとおり述べている（2022年4月13日参議院本会議）。
　　　「経済安全保障の取組を進める上では、事業者の経済活動は原則自由であるとの大前提に立った上で、これらを大きく阻害することがないようにすることが重要であり、本法案（筆者注：経済安全保障推進法案）においても、規制の実効性確保の在り方を含めて、安全保障の確保と自由な経済活動の両立を図ることが重要であると考えています。
　　　このため、本法案の施行に当たっては、基本方針及び基本指針において考え方を明らかにしつつ、具体的な政省令の制定に際しても幅広く関係者の意見を聞くなどを通じ、過度な規制措置によって事業者の経済活動が萎縮することがないよう十分配慮してまいります。」

（４）　兵頭輝夏「大阪の基幹病院を襲ったサイバー攻撃の深刻度」（『東洋経済オンライン』）https://toyokeizai.net/articles/-/631701（2022年11月30日アクセス）

（５）　この例は、行為者が特定されていないが、特定されている典型例としては、2010年の「レアアース・ショック」がある。これは、同年9月に尖閣諸島周辺海域で発生した中国漁船が我が国海上保安庁の巡視艇に衝突した事件について、中国政府が対日報復措置として、閣僚級の交流中止、日系企業関係者の拘束等と併せ、その後3ヶ月あまりに亘りレアアースの実質的な対日禁輸措置をとることとなったものである。

（６）　自民党も、その経済安全保障推進本部（本部長：甘利明衆院議員）の提言「わが国が目指すべき経済安全保障の全体像について」（2022年10月）の中で、「経済安全保障」について、「国家安全保障戦略に掲げる国益を経済面から確保すること」としている。

（７）　小林経済安全保障相（当時）は、このリスク対応・脆弱性点検について、「経済安保の取組を進めるに当たりましては、このエネルギーを含めまして、我が国の基幹産業が抱える脆弱性、あるいは逆に強み、こうしたものを幅広く点検、見直しをしていくことが重要だと考えておりまして、このエネルギーに関する取組につきましても経済安全保障上重要な取組が含まれていると私は考えています。目下、まさにウクライナのこの情勢を受けまして内外の安全保障環境は厳しさを増しています。で、エネルギーを含めて、このグローバルなサプライチェーン、これに対する懸念が高まっております。そこで、先月、関係省庁の局長級職員に集まっていただいてこの経済安全保障の重点課題検討会議を開催し、この重要な産業のリスクの把握、分析を進めるよう私から指示を行って、つい先日、二回目の会議を行ったところでございます。この検討状況を確認いたしました。」（2022年4月26日、参議院内閣委員会・

経済産業委員会連合審査会）。

（8）　この点に関し、インタビューの中で、小林経済安全保障相（当時）は、次のとおり述べている（東京海上ディーアール㈱、前掲冊子、5頁）。

「国がどれだけ経済安全保障の旗振り役を担ったとしても、あくまでメインプレーヤーは民間企業や研究機関の皆さんだ。民間企業や研究機関の経済安全保障に対する意識の向上がなければ、政策の実効性は伴わない。その意味で、いくつかの民間企業において経済安全保障を扱う部門が新設されていることは歓迎すべきことだと考える。」

（9）　前掲の東京海上ディーアール㈱『Talisman』では、先進企業での取組として、三菱電機㈱、Ｚホールディングス㈱及びアステラス製薬㈱という3社の取組を紹介している（20-27頁）。

（10）　（一社）日本経済団体連合会（経団連）は、「安全保障とグローバルな事業活動の両立に向けて、先端技術の開発・実装基盤の強化、機微技術の流出防止の徹底など、経済安全保障の確保に関する施策について、わが国政府との対話を通じて連携しながら検討を深める。」（2021年度事業方針）と述べ、かなり早い段階から、経済安全保障の重要性に理解を示している。（「『。新成長戦略』でサステイナブルな資本主義を目指す」2021年6月）。

（11）　小林経済安全保障相（当時）は、更に詳しく以下のとおり述べている。「政府だけでやっていたら、それは本当に正しい、適切なものになるかどうか分からない。そこは、私どももそこは行政として謙虚にならなければいけないと思っていて、したがって、法律の中にも、法案の中にも、その外部有識者の意見を聴くとかそういう規定というものをかなり入れさせていただいています。なので、これから基本方針、基本指針、また政省令を定めていくことになりますけれども、この有識者の方たちの意見あるいはその事業者の方の意見、これは丁寧に聴取していきたいというふうに思いますし、また、その政省令を策定していく上ではパブリックコメントも活用して、その本当の事業者以外のかなり幅広い国民の皆様に意見を伺って、この制度設計を丁寧に、委員が御指摘された予見可能性というのは極めて重要だというふうに私たちも思っておりますから、その点にしっかりと配慮をして進めていきたいと考えます。」（2022年4月19日、参議院内閣委員会）。

（12）　政府は、2022年12月16日に国家安全保障会議及び閣議で決定された「国家安全保障戦略」の中で、「自主的な経済的繁栄を実現するための経済安全保障政策の促進」を「戦略的なアプローチとそれを構成する主な方策」の1つとして掲げ、経済安全保障を我が国の安全保障戦略に明確に位置付けた（「国家安全保障戦略」26頁「(5) 自主的な経済的繁栄を実現するための経済安全保障政策の促進」）。

（13）　「経済財政運営と改革の基本方針2022」https://www5.cao.go.jp/keizai-shimon/kaigi/cabinet/2022/2022_basicpolicies_ja.pdf（2022年11月26日アクセス）の「第3章　内外の環境変化への対応　1. 国際環境の変化への対応　(2) 経済安全保障の強化」中に関連の記述がある。

（14）　小林経済安全保障相（当時）は、次のとおり述べている（2022年4月17日、参議院本会議）

「セキュリティ・クリアランスについては、諸外国との共同研究等を円滑に進めていく上で、我が国でも取得できないかといった声があることは承知をしており、また、本法案の衆議院内閣委員会における附帯決議も踏まえ、今後検討を行っていくべき課題の一つであると認識しています。他方、セキュリティ・クリアランス制度は個人の情報に対する調査を含むものであり、こうした制度に対する国民の理解の醸成の度合い、海外においてクリアランスの取得を要請される具体的事例の検証等をまずは踏まえる必要があると認識しています。い

ずれにせよ、情報流出対策を更に進めることは重要であり、政府としても、必要な取組の強化に引き続き努めてまいります。」

　また、インタビューに答えて、次のようにも述べている（東京海上ディーアール㈱、前掲冊子、4頁）。

　「今後の重要テーマとしては、セキュリティ・クリアランスが挙げられる。衆参両院内閣委員会の附帯決議でも言及され、立法府たる国会からの要請として検討しなければならない。民間企業では国際共同研究に当たってセキュリティ・クリアランスを求められるとの声があることも承知している。ただし、どの程度ニーズがあるのかをしっかりと見定め、丁寧に議論していきたい。」

(15)　同法第2条第11号は、以下のとおり定める。

　第二条　会議は、次の事項について審議し、必要に応じ、内閣総理大臣に対し、意見を述べる。

　　（中略）

　十一　国家安全保障に関する外交政策、防衛政策及び経済政策の基本方針並びにこれらの政策に関する重要事項（前各号に掲げるものを除く。）

(16)　東京海上ディーアール㈱、前掲冊子、5頁。同経済安全保障相は、続けて、人権問題について次のように述べている。「人権も重要なテーマだ。日本は言うまでもなく、基本的人権を尊重する国だが、諸外国やサプライチェーン上での状況にも注視する必要がある。現在、経済産業省が人権デューデリジェンスに関するガイドラインを検討中であり、今夏に策定予定だ（筆者注：このガイドラインは、2022年9月13日、中谷元・内閣総理大臣補佐官を議長とする「ビジネスと人権に関する行動計画の実施に係る関係府省庁施策推進・連絡会議」において、「責任あるサプライチェーン等における人権尊重のためのガイドライン」として採択された。）。法制度化の必要性については、有志国との連携を踏まえつつ検討していきたい。」

(17)　一方、岸田総理の同じ国会における施政方針演説は、より国民へのメッセージとしての要素が強く、経済安全保障を「デジタル」、「気候変動」、「科学技術・イノベーション」と並ぶ成長戦略の4本柱の1つとして掲げ、次のとおり述べている。

　「経済安全保障も、待ったなしの課題であり、新しい資本主義の重要な柱です。新たな法律により、サプライチェーン強靱化への支援、電力、通信、金融などの基幹インフラにおける重要機器・システムの事前安全性審査制度、安全保障上機微な発明の特許非公開制度等を整備します。あわせて、半導体製造工場の設備投資や、AI、量子、バイオ、ライフサイエンス、光通信、宇宙、海洋といった分野に対する官民の研究開発投資を後押ししていきます。」

（滝崎成樹　内閣官房TPP等政府対策本部首席交渉官）

図1　経済安全保障上の主要課題

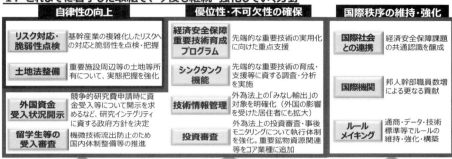

1. これまでに着手した取組で、今後も継続・強化していく分野

| 自律性の向上 | 優位性・不可欠性の確保 | 国際秩序の維持・強化 |

リスク対応・脆弱性点検	基幹産業の複雑化したリスクへの対応と脆弱性を点検・把握	**経済安全保障重要技術育成プログラム**	先端的な重要技術の実用化に向けた重点支援	**国際社会との連携**	経済安全保障課題の共通認識を醸成
土地法整備	重要施設周辺等の土地等所有について、実態把握を強化	**シンクタンク機能**	先端的な重要技術の育成・支援等に資する調査・分析を実施	**国際機関**	邦人幹部職員数増による更なる貢献
外国資金受入状況開示	競争的研究費申請時に資金受入等について開示を求めるなど、研究インテグリティに資する政府方針を決定	**技術情報管理**	外為法上の「みなし輸出」の対象を明確化（外国の影響を受けた居住者にも拡大）	**ルールメイキング**	通商・データ・技術標準等でルールの維持・強化・構築
留学生等の受入審査	機微技術流出防止のため国内体制整備等の推進	**投資審査**	外為法上の投資審査・事後モニタリングについて執行体制を強化。重要鉱物資源関連等をコア業種に追加		

| **経済インテリジェンス** | 情報収集・分析・集約・共有等の充実・強化 | **体制整備** | 関係府省庁の体制強化 |

2. 今後取組を強化する上で、法制上の手当てを講ずることによりまず取り組むべき分野

| **サプライチェーン** | 国民生活や産業に重大な影響が及ぶ状況を回避すべく、重要物資や原材料のサプライチェーンを強靭化 | **官民技術協力** | 官民が連携し、技術情報を共有・活用することにより、先端的な重要技術を育成・支援する枠組み |
| **基幹インフラ** | 基幹インフラ機能の維持等に係る安全性・信頼性を確保 | **特許非公開** | イノベーションの促進との両立を図りつつ特許非公開化の措置を講じて機微な発明の流出を防止 |

3. 今後の情勢の変化を見据え、さらなる課題について不断に検討

（出所）　内閣官房作成。　　　　　　　　　　　　　　　　※第1回 経済安全保障推進会議資料（令和3年11月19日）

図2　特定重要物資の安定的な供給の確保

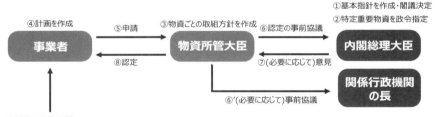

事業者が支援を受けるまでの流れ（イメージ）

①基本指針を作成・閣議決定
②特定重要物資を政令指定

④計画を作成　**事業者**　⑤申請 → ③物資ごとの取組方針を作成 **物資所管大臣** ⑥認定の事前協議 ⇄ **内閣総理大臣**
⑧認定 ← 　　　　　　　　　　　　　　　　⑦（必要に応じて）意見

関係行政機関の長
⑥'（必要に応じて）事前協議

⑨法律に基づく支援
(1) 安定供給確保支援法人等（※）による助成等の支援
　➤ 認定供給確保事業者の取組への助成
　➤ 認定供給確保事業者へ融資を行う金融機関への利子補給
(2) 株式会社日本政策金融公庫法の特例（ツーステップローン）
(3) 中小企業投資育成株式会社法の特例
(4) 中小企業信用保険法の特例

※安定供給確保支援法人等
・所管大臣が指定するNEDO/JOGMEC/医薬基盤研
若しくは
・内閣総理大臣及び物資所管大臣が指定する
　　　　　一般社団法人、一般財団法人等

（出所）　内閣官房作成。

図3 特定社会基盤役務の安定的な提供の確保

事前審査の流れ（イメージ）

- 国はあらかじめ事前審査の対象となる事業、事業者、重要設備を限定。
- 対象となる特定社会基盤事業者は、特定重要設備を他事業者から導入し又は他事業者に対し当該設備の重要な維持管理等の委託を行うときは、事前に政府に対して、その計画書を届出。
- 計画書を届け出た者は、審査期間中は、当該計画書に係る導入・委託を行うことができない。
- 政府は、計画書に係る特定重要設備が妨害行為の手段として使用されるおそれが大きいと認めるときは、当該計画書を届け出た者に対し、妨害行為を防止するため必要な措置を講じた上で重要設備の導入を行うこと等を勧告（命令）することができる。

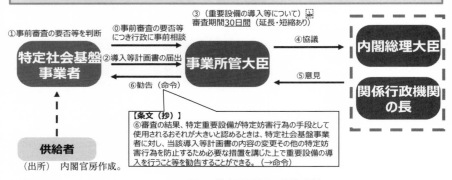

（出所） 内閣官房作成。

図4 特定重要技術の開発支援

先端的な重要技術の開発支援の全体像（イメージ）

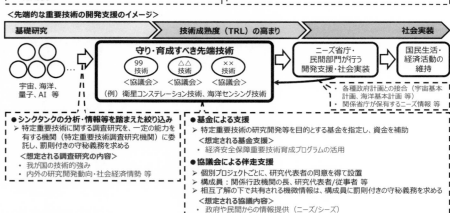

（出所） 内閣官房作成。

図5　特許出願の非公開

保全指定の対象となる発明の選定イメージ

(イメージ)

対象発明を選定する視点 (一次審査・保全審査に共通)

視点①：技術の機微性
➤ 国家及び国民の安全を損なう事態を生ずるおそれ
（例えば、核兵器を含む大量破壊兵器につながる技術など）

視点②：経済活動・イノベーションへの影響
➤ 非公開とし、発明の実施や外国出願を制限することで、
産業の発達にどの程度の影響（支障）を及ぼすか

イメージ図

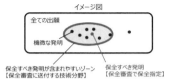

全ての出願

機微な発明

保全すべき発明が含まれやすいゾーン
【保全審査に送付する技術分野】

保全すべき発明
【保全審査で保全指定】

全出願（約３０万件／年）

特許庁の一次審査

技術分野等によるスクリーニング！

⇒ 外国出願禁止（第一国出願義務）
の対象もこれと同じ要件とする

件数絞り込み

内閣府の保全審査

- ・ 視点①のおそれが大きいこと　かつ！
- ・ 視点①②を総合評価しても情報保全をすることが適当であること！

一次審査の基準の考え方

➤ 国際特許分類等により政令で対象技術分野を限定。

➤ 産業への影響が大きい技術分野については、政令で更に付加要件を規定。

➤ 対象技術分野・付加要件については、視点①②双方の観点を踏まえて定める。

保全指定 ※指定の期間：１年以内、以後、１年ごとに延長の要否を判断
※指定の効果：　➤ 出願の取下げ禁止　➤ 発明の実施の許可制　➤ 発明内容の開示の原則禁止
➤ 発明情報の適正管理義務　➤ 他の事業者との発明の共有の承認制　➤ 外国への出願の禁止

（出所）　内閣官房作成。

日本の大戦略における経済安全保障推進法

川﨑　剛

はじめに

　経済安全保障推進法（以下、推進法）が注目をあびており、様々な論評がメディアを賑わせている。しかし、そのほとんどは企業活動への含意に関するものであり、国際政治学理論からみて満足のいく考察は管見では見受けられない。本稿はこの穴を部分的にでも埋めていく一歩をなす。

　本稿が提出するリサーチ・クエスチョンは次のものである。「第二次冷戦とさえ呼ばれる熾烈な権力政治的闘争が地球規模で西側陣営と中露陣営との間において戦われているなか、西側陣営の一員であり自陣営の勝利をめざす日本の大戦略において推進法はどのように位置づけることができるのか。」答えを提出していく際に下敷きとなるのが、川﨑剛『大戦略論──国際秩序をめぐる戦いと日本』である。本稿は同著が提出する理論的枠組み──それは古典的リアリズムに基づいている──の中に推進法を位置づけることにより、リサーチ・クエスチョンに対する答えを提出していく。

　結論を先取りしていえば、本稿が提出する答えは次の３つの議論からなりたっている。（１）現在進行中の陣営間闘争という文脈では、推進法は守備的なものであって、攻撃的なものではない。（２）推進法そのものは日本の経済安全保障政策体系の一部のみを占めるものであり、政策体系全体をつかさどるものではない。（３）推進法を実施する際には多重で複合的な政策調整を日本政府はこなさねばならず、政策調整が推進法成否のカギを握っている。

　以下、まず推進法の概要を解説した後、大戦略の枠組みを説明する。そうした準備を経た後、推進法を大戦略の枠組みの中に位置づけ、上で述べた結論を導きだす。加えて、現時点における政策調整の兆しを概観していく。最後に、補足的な考察を論じて本稿はその議論を閉じる。

1.　経済安全保障推進法の概要

　推進法は以下の４つの具体的な施策を掲げている。

A)　重要物資の安定的な供給の確保に関する制度

　戦略物資供給確保に関するもの。半導体や蓄電池、さらには医薬品などがここでいう戦略物資であるが、それは「国民の生存に必要不可欠」なもので対外依存度が高まれば「外

部の行為により国家及び国民の安全を損なう」可能性があるものを指す。安定的な供給の
ため政府が民間企業を指導・支援するとしている。サプライチェーンを強靱化せんとする
試みの一環といえよう。

B)　基幹インフラ役務の安定的な提供の確保に関する制度

　民間企業が運営する電気や金融といった基幹的インフラをサイバー攻撃などから守るも
ので、いわばインフラ防衛体制の確立をめざす措置。政府による新しいプロジェクト認可
制を導入する。政府による事前審査が義務付けられる可能性のある分野として以下の14の
ものがあげられている：電気、ガス、石油、水道、鉄道、貨物自動車運送（トラック）、外
航貨物、航空、空港、電気通信、放送、郵便、金融、クレジットカード。[6]

C)　先端的な重要技術の開発支援に関する制度

　先端テクノロジー政策の1つであり、政府が民間の先端的技術開発を資金面などで支援
するというもの。民間から提出されたプロジェクト案を官民協議会が審査する。現段階で
は20の技術領域に対象が絞られた。[7]

D)　特許出願の非公開に関する制度

　技術情報の公開をコントロールすることによって、軍事転用の可能性がある技術流出を
防ぐ政策。知的財産保護の一施策といえよう。

　これら4つの施策はおおまかにいって日本のハードパワーを強化するものといえる（つ
まり情報・心理作戦に関連するソフトパワーとは別）。また、政策目標別に分類すれば、次
の2組にわけることができる。[8]

・対外的脆弱性の低減をめざすもの
　戦略物資確保、インフラ防衛、特許情報制限
・国力増進をめざすもの
　技術開発支援

　閣議決定された基本方針文書によれば、前者の趣旨は「国民生活及び経済活動の基盤を
強靱化することなどにより、他国・地域に過度に依存しない、我が国の経済構造の自律性
を確保すること（自律性の確保）」、後者の趣旨は「先端的な重要技術の研究開発の促進と
その成果を活用を図ることなどで、他国・地域に対する優位性、ひいては国際社会にとっ
て不可欠性を獲得・維持・強化すること（優位性ひいては不可欠性の獲得・維持・強化）」
とそれぞれ定められている。[9]

　次に大戦略の枠組みをみてみよう。

2. 国際秩序戦における大戦略

　現在、日本を含む西側陣営とそれに対抗する中露陣営との間で、自由主義的国際秩序を
めぐる政治的闘争が展開している。これら二大陣営では、アメリカと中国がそれぞれリー
ダーの地位にいる。この陣営間闘争は国際秩序をめぐる戦い、言い換えれば「国際秩序戦」
に他ならない。前回の国際秩序戦であった米ソ冷戦ではヨーロッパが最も重要な前線地域
であったが、米中抗争では西太平洋がそれにとってかわった。現在の日本はまさに最前線
国家の位置にあるといえよう。(10)

　こういった国際秩序戦に勝利するための統合的な政治計画が大戦略であり、その手段は
軍事だけにとどまらず、外交・経済・情報・文化・教育・人口・移民、さらにはサイバー
といったような多くの政策分野にまたがる。そこでは攻勢・守勢ともに様々なパワーが行
使され、さらには国内政治・国内経済も計画の一部をなす。大戦略の策定と遂行は、まさ
しく総力戦態勢が欠かせず、大戦略は国家指導者の指揮のもとに執り行われる高度政治的
な作戦といえよう。(11)

　大戦略を遂行する国家は当然、様々な政策を調整していかなければならない。そのうえ
で自身の国力増強を図り、自国が加盟している陣営の強化を図る——対抗陣営とのバラン
ス・オブ・パワーにおいて自陣営が負けないように貢献する——のである。しかし、政府
内における縦割り行政の弊害は常にあり、政策調整のための独立した制度ならびに政治的
リーダーシップによってそれを乗り越えることが課題となる。加えて、民間部門も政策調
整に参加するのであれば、当然、ハードルはより高くなるであろう。

　さらには国際秩序戦は陣営間におけるゼロサム闘争であるので、いわば団体戦の様相を
なす。となれば個人戦に相当する一国単位の大戦略と並行して陣営レベルにおいても様々
な政策が欠かせない。1つは自陣営の内部結束を図る諸政策で、もう1つは対抗陣営の結
束を弱めようとする諸政策——クサビ打ちと呼ばれる——である。(12) これら2組の政策を両
陣営は互いに展開し、相手側の弱体化をめざす。つまり、自陣営の内紛や対抗陣営からの
クサビ打ちを避ける一方で、対抗陣営にクサビを打ち込むというダイナミックな政治ゲー
ムが陣営間で展開されるのである。前者においては陣営内部での政策調整が欠かせない。
しかし国益をかけての調整なので解決は簡単ではない。かといって調整に失敗すれば「内
部崩壊」となり、さらには対抗陣営にクサビを打ち込まれてしまうことにもなりかねない
のである。(13)

　このように、大戦略を実施する際には、一国内（政府内と「政府対民間」関係）だけで
はなく、自陣営内においても円滑的な政策調整が求められる。失敗すれば内紛状況となっ
て自国・自陣営の立場は弱くなり、対抗陣営とのクサビ打ち合戦において不利になってし
まう。

　以上が基本的な構図である。現在展開されている陣営間ゲームにこれを当てはめれば、

根本的な内部脆弱性を抱えている西側陣営は不利な立場に置かれていることが理解できよう。それは国内体制の性格に由来する。

　いうまでもなく西側陣営諸国は自由民主主義と開放経済主義を原則として維持している。そういった西側陣営においては一国内・陣営内ともに不協和音が発生しやすく、そのぶん政策調整も困難があるのは容易に想像できるであろう。内紛が生じればそれだけでも対抗陣営を利するが、さらには対抗陣営にクサビを打ちこむチャンスさえ与えてしまいかねない。

　まず一国レベルでみてみよう。自由民主主義体制のもとでは選挙や複数の政党を通じた競争が原則であり、こういった政治的競争は意見の相違を前提とする。そして政府内における官僚組織同士の競争がこれに加わる。他方、民間経済は国家統制下におかれず比較的自由な活動を国内外で展開できる。当然、国家の意向と対立する場面もでてこよう。その際に生じる民間からの批判は「経済的自由を国家統制から守れ」というものになるのは想像に難くない。（民間部門にそういった政治的意思は全く無いにもかかわらず）その声はクサビ打ちの機会を常時うかがっている中露両政府を事実上援護するものとなってしまう。対して、政府は安全保障の御旗を掲げるものの民間部門からの正当な批判を無碍に抑え込むわけにはいかず、苦慮することとなる。

　次に西側陣営内部における状況である。貿易、投資、さらには金融を通じて国民経済が他国の経済と連関することにより国際資本主義体制は富を築いてきた。各国からみれば国際経済活動から獲得できる便益がある一方で、それを享受するには自国経済運営上の自立性をいくらか損失するというコストを支払わなければならない。各国はそれぞれの国内事情に基づいて純便益——つまり便益からコストを差し引いたもの——を最大化することとなる。しかし、多国間となると話はより複雑になってしまう。なぜか。関係各国にとって最も都合がよいのは国際経済からの「うまみ」を享受する一方で、そのコストを他国に押し付けることである。そこで「コストのなすりつけあい」が関係各国の間に生じ、経済紛争が継続的に起こりかねない。さらには西側陣営の場合、この紛争に民間部門が参加することが多く、ツーレベル・ゲームという複雑な様相さえ呈することとなる。これが上で述べた「国益をかけての調整」の内容であり、資本主義・開放経済主義によってたつ西側陣営は、これまでもこの種の経済紛争を経験してきた。日本が属する西側陣営内で政策協調を図ろうとすれば、こういった潜在的障害が待ち受けているのである。

　対照的に、政治的競争や民間経済の自由といった原則は中国やロシアといった専制主義的国家では尊重されていない。この点は、例えば習近平政権が対外脆弱性を弱めるべく「経済的鎖国」政策を強権的に進めている状況からも見て取れよう。また仮に中露陣営内部で政策協調を図るとするならば、各国においては民間部門は政府の強力な指導下にあるので複雑なツーレベル・ゲームは生じえないであろう。このように、政策協調のハードルは西側陣営内において高く、中露陣営内では低いといえる。

　こういった国内体制構造の違いから生じる非対称性に加えて、西側諸国の国民経済が中

国と結びついているという実状が西側陣営の立場をより一層弱めている。つまり、中国との経済利益を追求する西側企業は西側政府に対して「中国政府のロビイスト」としての政治的機能を（企業側はそのような意図をもっていないにもかかわらず）ここでも事実上果たし、クサビ打ちの機会を中国に与えているといえよう。[21] 逆に中国国内においては民間企業は中国共産党の統制下にあり、「西側政府のロビイスト」となることは不可能である。

　要するに、国際秩序戦に参加する際には2種類の政策調整が欠かせない。1つは自国内部でのもの、もう1つは陣営内部でのものである。これら2つを同時にうまくこなさなければ効果的な大戦略は実施できない。そして現時点において展開している国際秩序戦においては、日本が属する陣営は内紛が起こりやすいという構造的な脆弱性を抱えているのである。その結果、中露側にクサビ打ちの機会を与えてしまいかねない。対して中露陣営は西側陣営からのクサビ打ちをされにくい構造をもっている。こういった障害を乗りこえて日本は西側陣営の勝利に貢献するという大戦略を実施しなければならない。

3.　大戦略における推進法の位置

　これまで推進法、ならびに国際秩序戦における大戦略をそれぞれ解説してきた。では、推進法を大戦略のなかに位置づけすればどのような理解が得られるであろうか。まずは推進法の性格を再確認しておこう。(1) 推進法は基本的には日本のハードパワー強化を目指す政策である。(2) それは国力増強（技術開発支援）ならびに脆弱性低減（戦略物資確保、インフラ防衛体制、特許情報制限）という2つの具体的な政策目標を持っている。

　こういった性格を持つ推進法を大戦略の文脈に位置づけるとき、次の3点が指摘できよう。

(1)　推進法は守備的なもの

　第一に、推進法は守備的なものであって、攻撃的なものではないという点である。つまり推進法は中露関係にクサビを打つものでないし、中国の経済的脆弱性を高めようというものでもない。いわんや対中経済制裁を推し進めるものでもない。西側陣営間の結束をはかり対中露陣営に対する抑止力ならびに総合的バランス・オブ・パワーを強化するという防護策の1つというのが、推進法であるといえよう。[22]

(2)　推進法は経済安全保障政策体系の一部のみをカバー

　第二に、モノ、ヒト、情報にかかわるあらゆる政策手段を駆使するという大戦略の視点にたてば、今回推進法に含まれる4施策は実は経済安全保障政策全体の一部に過ぎないという点である。[23] まず「モノ」に相当する戦略物資確保政策を見てみよう。指定された物資を確保することが、サプライチェーン全体を守ることに直結しないことに我々は留意する必要がある。この点はレアアースとそれが不可欠なスマートフォンのような最先端製品

の関係を見れば理解できよう。加えて、食料安全保障の範疇に入る物資（農林水産省の管轄下）は今のところ戦略物資にはほとんど該当していない[24]。おおまかにいって、経済産業省（ならびにその下部組織であるエネルギー庁）の管轄内の物資が想定されていると思われる（厚生労働省管轄下の医療品を除く）。

　研究資金提供を通じた技術開発支援策は「ヒト」政策に該当する。科学技術力・産業力の向上——これが長期的な国力増強には欠かせない——は、究極的には適切な人材が大規模に国内で養成できるかどうかにかかわってくるからである。そう考える際、高度外国人材の受け入れ促進、日本からの頭脳流出の抑制といった移民政策をはじめ、日本国内の大学教育の在り方といった教育政策も科学技術力の強化にかかわってこよう。研究資金提供に的を絞る今回の推進法は、こういった長期人材育成に関する政策体系の一部に焦点をあてているに過ぎない。

　最後に「情報」の視点からは、防諜（カウンターインテリジェンス）の側面が今回の推進法ではおおむね欠けている（基本文書ではほぼ言及されていない）ことを指摘しよう。中露陣営からのサイバー攻撃や直接投資（買収）などから基幹的インフラを守るという推進法の趣旨は説得力を持っている。また、安全保障の見地から一定の特許を公開制限するという措置もしかりである。しかし政府の審査を通過した後も、サイバースパイや産業スパイなどによって知的財産（つまり情報）が国外に流出する危険は常に残る。公安調査庁が指摘するように、さまざまな巧妙な手段でもって中露陣営はそういった作戦を西側諸国で展開してきており、日本も例外ではない[25]。こういった問題には、なんらかの常時モニタリングが必要とならざるを得ないと思われる。

　要するに今回の推進法は「モノ、ヒト、情報」の面において部分的な処置しかなされていないことに留意する必要がある。推進法がカバーしない分野においても、日本の経済安全保障政策は策定・遂行されているのであり、推進法と組み合わさることによって政策体系が作り上げられているといえよう。

（3）　政策調整がカギ

　第三に指摘したい点は、推進法を実施する際に日本政府が直面するであろう多重かつ複合的な政策調整についてである。法的枠組みを設定することと、それを実際に運営することとは勝手が異なる。推進法を実施する際に効果的な政策調整がままならないならば、推進法が「絵にかいた餅」となってしまいかねない。つまり、実施する段階での遅延、不手際、妥協などによって推進法の実際の効果が乏しくなるという可能性である。要するに推進法の成功のカギは政策調整にあるといえよう。

　国際秩序戦における大戦略に関する節で説明したとおり、日本政府は（1）その内部、（2）民間部門との関係、（3）西側諸国との関係、のそれぞれにおいて政策調整を同時に図っていかなければならない。内紛が生じやすい構造的状況があって、さらには分断を狙う中露陣営からのクサビ打ち作戦の脅威にさらされながらの政策調整であるので、難易度は低く

なかろう。

　施策開始早々の現時点においては、政策調整に関する実際の難易度ははっきりしない。以下、国内と国外の状況をそれぞれ概観しよう。

　まず日本国内での政策調整である。これは政府内部でのものと民間企業との間でのものと２種類ある。前者の課題は「縦割り行政の障害をいかに乗り越えていくか」と言い換えることができよう。既に示唆してきたとおり、複数の官庁が関与していくであろう。閣議決定された基本文書では、国家安全保障局と内閣府にある経済安全保障推進部局が政策調整機関の役割を積極的に果たすとしている。これら２つの組織が「平素から情報を共有して密接に協力し、政府全体の見地からの連携を図る観点から、４施策が過不足なく講じられるとともに、各施策の方向性を違えることで関係する事業者等に混乱を生ずることがないように留意するなどして、施策間の一体性・整合性を確保する」とある。[26]

　また後述するように対外的には経済産業省と外務省の「二頭立て体制」で臨んでいくように思われるので、両省間の調整も必要であれば上述の２つの組織――そして閣僚レベルでは経済安全保障推進会議など――が担うことが考えられる。

　次に民間部門との政策調整であるが、ここでの問題は２段階に分かれる。民間部門との協力を得つつ主務官庁が推進法に基づく許可を与える段階がまず１つ。その後に政府が民間部門をモニターリングする（そして違反を摘発）という第２段階が続く。これら両段階において、推進法の定める主務官庁が上述した２つの政策調整機関の指揮のもと活動する。他方、公安調査庁や警察庁などが第２段階で新たにかかわってこよう。政府としては、一方で過剰介入に敏感な民間部門と折り合いをつけながら、他方では官僚組織内での折り合いをつけながら運営を進めていくことになると思われる。後者においては民間部門の声を主務官庁が公安調査庁・警察庁に対して代弁するというようなことも起こるかもしれない。

　最後に西側諸国との政策調整を見てみよう。まずインド太平洋経済枠組（IPEF: Indo-Pacific Economic Framework）をとりあげたい。[27] 当該地域にて新しい経済ルールを打ち立てるべくアメリカが呼びかけて設立した枠組み組織で、４つのテーマをカバーする。貿易、サプライチェーン、クリーン経済、それに公平な経済である。このうち、推進法と直接に関係がありそうなテーマはサプライチェーンであり、推進法の戦略物資確保に相当する。

　2022年９月８・９日に開催された閣僚級会合で発表された４部からなる声明（ministerial statement）を見る限り、活動の趣旨は加盟国による情報の公開・共有、ならびに加盟国間における共通理解・基準の確立といった浅いレベルの政策協調にとどまるように今のところは見受けられる。[28] 安全保障分野におけるアセアン地域フォーラム（1994年設立）と同様――そして環太平洋パートナーシップに関する包括的及び先進的な協定（CPTPP）のような自由貿易協定とは対照的に――比較的緩やかな組織といえよう。日本からは経済産業大臣と外務大臣が出席した。

　他方、日米経済政策協議委員会、いわゆる日米経済版２＋２（2022年７月29日開催）ではより深いレベルの政策協調が検討された模様である。日本からは同じく経済産業大臣と

外務大臣が出席し、アメリカ側の商務長官と国務長官と会合した。外務省の発表によると、議事内容は推進法と直接かかわるものもあればそうでないものもある。[29] 推進法に関連する協力分野としては、半導体を含む先端技術開発とサプライチェーンの強靭化が挙げられている。前者に関しては経済産業大臣はアメリカの参加を求め、共同で国際市場に打って出る案を提出した。また、日米以外の有志国との協力を進めることで日米両国は一致したという。加えて、半導体、蓄電池、鉱物といった物資に関するサプライチェーンの強靭化についても提起された。共同発表では日米経済版 2 + 2 を定期化させ、次官級会議を 2022 年末までに開催することで協力のモメンタムを維持する一方で、G7 や APEC といった場において協力していくことを約束したとある。

　これらにみられるように経済保障問題を焦点にする外交活動は始まったばかりといえよう。協力する分野と課題、それに程度が明確になるにつれ前述した「国益をかけての調整」が始まっていくものと思われる。

おわりに

　本稿は推進法を国際政治理論の視点から考察してきた。自由主義的国際秩序をめぐって西側陣営と中露陣営が政治闘争を繰り広げているなか、西側陣営に属する日本にとって今回の推進法はいかなる意義を持つのか。この問いを大戦略という枠組みから論じてきた。その答えとして、本稿は推進法の守備的な性格をまずは指摘し、続いて日本が策定してきた経済安全保障政策体系の一部を推進法が占めることを明らかにした。そして、推進法の実施を成功させるには、日本は多重で複合的な政策調整をうまくさばいていかなければならないと主張し、現時点での状況を概観したのである。

　こういった議論は、平時のものに過ぎない。次に我々は有事での経済安全保障を考えていかなければならないであろう。国家的危機に直面した際、経済安全保障を全うするには日本はどうすればよいのか。例えば、台湾をめぐって日米同盟と中国が交戦状態に陥った際、いかにして日本はその経済活動を守っていくのか——そして、どのような制限を受け入れるのか。さらには、南海トラフ地震に代表される大規模で危機的な自然災害についても、似たような考察は欠かせない。こういった「国家存亡の危機」においては平時には想像もできなかったことが起こりうる。このような知的問題にも我々は果敢に挑戦していく必要があろう。危機が発生してからでは遅いのだから。

　経済安全保障の領域は平時・有事を問わず、国民生活に直結する。これからも大局的な見地からの議論が望まれよう。

【注】
（1）　例えば、川口貴久（東京海上ディーアール株式会社）「経済安全保障推進法案の概要と今後の争点」『リスクマネジメント最前線』（2022、No.8）、https://www.tokio-dr.jp/publication/

report/riskmanagement/pdf/pdf-riskmanagement-367.pdf、木内登英（野村総研）「経済安全保障推進法成立へ。企業活動への過剰関与のリスクも」2022 年 5 月 11 日、https://www.nri.com/jp/knowledge/blog/lst/2022/fis/kiuchi/0511 及び「推進法を受けて本格稼働を始める経済安全保障政策」2022 年 7 月 29 日、https://www.nri.com/jp/knowledge/blog/lst/2022/fis/kiuchi/0729、森永輔「経済安保推進法の『ここに注意』、あなたの会社にも影響が及ぶ」日経ビジネス、2022 年 7 月 15 日、https://business.nikkei.com/atcl/gen/19/00478/071100012/。例外は村山祐三「経済安全保障推進法の意義と課題」『研究リポート』日本国際問題研究所、経済・安全保障リンケージ研究会 FY2022-1 号、2022 年 5 月 13 日、https://www.jiia.or.jp/research-report/2022/05/20/economy-security-linkages-fy2022-01.pdf。本稿で示すすべての URL は 2022 年 12 月 7 日にアクセスした。

（2）　例えば「推進法は中国からの反発を招くだけである」という見解をみてみよう。これは安全保障のジレンマに基づく考察という印象を受けるかもしれない。しかし、内政要因によって中国は軍拡活動を展開しているという原因を全く無視しており、外部要因が内政要因よりも強い影響力を持っていることを証明しない限りこの見解は妥当性を持ちえない。つまり「無視された変数の誤謬」を犯しているのである。例えば間接的な表現ながら一色清「経済安全保障推進法が成立、経済安全保障って何」『朝日新聞』2022 年 5 月 20 日、https://www.asahi.com/edua/article/14623992?p=2 がこういった議論を提出している。無視された変数の誤謬については、例えば川﨑剛『社会科学としての日本外交研究──理論と歴史の統合をめざして』（ミネルヴァ書房、2015 年）、18 頁をみよ。

（3）　勁草書房、2019 年。軍事戦略として大戦略を捉えるのが伝統的な発想であるのに対して、同書は軍事戦略を従える高度な政治戦略（その目的は副題にある「国際秩序をめぐる戦い」に勝利すること）として大戦略を捉えている。そのうえで、大戦略を体系的に解説し、さらには日本が採用すべき大戦略について考察している。この種の議論を提出する唯一の書物であるが、そこでは経済安全保障政策もカバーされているので本稿は同書の枠組みを採用することとした。間接的ながら同書の視点から最近の国際情勢を分析するものとしては、坂本正弘「ウクライナ戦と世界秩序の変動」日本国際フォーラム、2022 年 10 月 1 日がある、https://www.jfir.or.jp/2022/10/01/9097/。

（4）　推進法の正式名称は「経済施策を一体的に講ずることによる安全保障の確保の推進に関する法律」（2022 年 5 月 11 日成立、同月 18 日公布）。その他の基本文書としては、同年 9 月 30 日に閣議決定された次の 3 文書がある。「経済施策を一体的に講ずることによる安全保障の確保の推進に関する基本的な方針」（以下、基本方針と略す）、「特定重要物資の安定的な供給の確保に関する基本指針」、「特定重要技術の研究開発の促進及びその成果の適切な活用に関する基本指針」。以上の 4 文書は内閣府の経済安全保障ウエブページからダウンロードできる、https://www.cao.go.jp/keizai_anzen_hosho/index.html。制度としては、首相を議長とする経済安全保障推進会議が 2021 年 11 月 19 日づけで発足した。官僚レベルでは、内閣官房のほか主務官庁の局長級からなる経済安全保障重要課題検討会議（経済安全保障担当大臣が議長）が 2022 年 3 月 11 日から開催されている。これらについては内閣府の経済安全保障推進会議ウエブページをみよ、https://www.cas.go.jp/jp/seisaku/keizai_anzen_hosyo/index.html。その他の資料として次のものを挙げておく。内閣官房経済安全保障法制準備室「経済安全保障推進法の審議・今後の課題等について」2022 年 7 月 25 日、https://www.cas.go.jp/jp/seisaku/keizai_anzen_hosyohousei/r4_dai1/siryou3.pdf、内閣府経済安全保障推進室「経済安全保障推

進法に係る状況について」2022 年 8 月 8 日、https://www8.cao.go.jp/cstp/anzen_anshin/pro-gram/2kai/siryo3-2.pdf、「経済安全保障推進法案の概要」日付不明、https://www.cas.go.jp/jp/houan/220225/siryou1.pdf。

（5）　推進法、第 2 章。ちなみに具体的な物資名は、上述の「特定重要物資の安定的な供給の確保に関する基本指針」には記されておらず、内閣官房経済安全保障法制準備室「経済安全保障推進法の審議・今後の課題等について」（3 頁）に「半導体、蓄電池、医薬品、パラジウム、クラウド、肥料、船舶関係等」が対象物資として明記されている。

（6）　「経済安全保障推進法案の概要」（3 頁）。ちなみに、このインフラ防衛と特許情報制限の 2 措置については閣議決定はなされておらず、閣議決定がなされたのは戦略物資確保と技術開発支援についてのみである（注 4 を参照）。

（7）　バイオ技術、医療・公衆衛生技術（ゲノム学含む）、人工知能・機械学習技術、先端コンピューティング技術、マイクロプロセッサ・半導体技術、データ科学・分析・蓄積・運用技術、先端エンジニアリング・製造技術、ロボット工学、量子情報科学、先端監視・測位・センサー技術、脳コンピューター・インターフェース技術、先端エネルギー・蓄エネルギー技術、高度情報通信・ネットワーク技術、サイバーセキュリティ技術、宇宙関連技術、海洋関連技術、輸送技術、極超音速、化学・生物・放射性物質及び核（CBRN）、先端材料科学。「特定重要技術の研究開発の促進及びその成果の適切な活用に関する基本指針」（7 頁）。

（8）　もちろん連関する箇所もある。例えば技術開発支援と特許保護とはそういった関係にあろう。

（9）　「基本的方針」（4 頁）。さらに同文書は同じ頁で「国際秩序やルール形成に主体的に参画し、普遍的価値やルールに基づく国際秩序を維持・強化すること（国際秩序の維持・強化）」としており、西側陣営の強化という政策目的を間接的な表現ながら挙げている。

（10）　この節は川﨑、前掲書（とりわけ第 1 章と第 6 章）に基づいている。煩雑になるため、いちいち引用はしないこととする。また、推進法に直接的な形で関連する箇所のみに大戦略論の焦点を当てる。

（11）　ここでいう大戦略とは平時のものであり、有事のものではない。従って戦争、危機状況、危機管理といったようなテーマは本稿の考察範囲外にある。

（12）　第二次世界大戦後、最も著名なものは 1970 年代初頭にアメリカが中ソ両営に対して行ったものであろう。ニクソン政権が毛沢東政権と接近した結果、中ソ離反は決定的になった。ニクソン大統領による北京訪問（1972 年）はまさに米中協力時代の到来を示す象徴となったのである。典型的なクサビ打ちはこういった華々しいものではなく、もっと巧妙なもので外交辞令や工作の形をとる。例えば、1950 年代にソ連は日本に対して東アジア地域安全保障制度の設立を持ち掛けたが、これは暗に日米同盟破棄を意図したものであり、それを見抜いた日本政府は拒否している。冷戦後に目を移せば、中国は抗日戦勝記念パレード（2015 年）を開催する際、韓国の大統領を招待することによって韓国を日米同盟から切り離そうとした。朴大統領は参加し、中国のもくろみは成功している。クサビ打ちに関する理論的研究は最近大いに発展しているが、ここでは Yasuhiro Izumikawa, "To Coerce or Reward? Theorizing Wedge Strategies in Alliance Politics," *Security Studies*, vol. 22, issue 3, 2013, pp. 498-531 and "Binding Strategies in Alliance Politics: The Soviet-Japanese-US Diplomatic Tug of War in the Mid-1950s," *International Studies Quarterly*, vol. 62, issue 1, 2018, pp. 108-120 をあげておく。

(13) 攻撃用の政策調整——つまり対抗陣営内にクサビを打ち込む共同作戦——も時には必要となろう。しかし、後述するように推進法はこれに該当しないので、守備用の陣営内調整のみについて本稿では考察していく。

(14) 推進法に関して政府に対するこういった懸念の声は既に出ている。例えば木内登英「経済安全保障推進法成立へ」をみよ。

(15) だからといって本稿は民間部門を批判したり、あるいは擁護したりするものではない。政府に対しても同様である。政治的メカニズムを解明することのみが本稿の目的であることを強調しておきたい。

(16) 推進法を実施する際において配慮すべき点として、「基本的方針」は「（民間企業による）自由かつ公正な経済活動との両立」と「（民間）事業者等との連帯」を「国際協調主義」とともに挙げている（4頁）。さらには同文書は留意事項として以下のように述べている。「4 施策に含まれる規制措置は、法第5条に基づき、経済活動に与える影響を考慮し、安全保障を確保するために合理的に必要と認められる限度において行わなければならない。その際、経済成長に及ぼす影響に配慮するとともに、経済主体の経済活動における自主性を尊重し、経済主体間の適正な競争関係を不当に阻害することのないよう、規制措置ができる限り必要最小限のものとなるよう努めるものとする」（6頁）。

(17) ここでは国内政治と国際政治が複雑に連関する状況を指す。経済部門においては往々にして西側諸国の政府だけではなく企業も対日交渉に何等かの形で介入してくる。さらには日本側も政府と企業との間で（あるいは日本政府内で）意見が分かれるということも起こりうる。対米関係だけに限っても日本政府は過去においてこういった類の状況に苦慮してきた。古典的な研究としては草野厚『日米オレンジ交渉——経済摩擦をみる新しい視点』（日本経済新聞社、1983年）、Leonard Schoppa, *Bargaining with Japan: What American Pressure Can and Cannot Do* (New York: Columbia University Press, 1997) を挙げておく。ツーレベル・ゲーム（two-level game）については、Peter Evans, Harold K. Jacobson, and Robert D. Putnam, eds., *Double-Edged Diplomacy: International Bargaining and Domestic Politics* (Berkeley: University of California Press, 1993) がよい。

(18) 1980年代の日米経済摩擦を見てみよう。日本の対米貿易黒字——アメリカからすれば対日貿易赤字——をいかにして修正するかという経済紛争であったが、これはまさに貿易という「うまみ」を双方享受しながらも、貿易収支是正のためのコストを日米いずれかが負担するのかという問題がその核心だったのである。つまり、日本が内需拡大政策——その結果生じる財政赤字の増加がコスト——を採用して対米貿易黒字を減らすのか、あるいはアメリカが内需引き締め政策——米国民の税負担増加がそのコスト——でもって日本からの輸入を減らすのか、という争いであった。この「コストのなすりつけあい」では結局アメリカが勝利し、日本が負けたのである。

(19) さらには、西側陣営には加盟国が多いということも、政策協調をより困難にしている。ゲーム理論の視点からプレーヤーの数が多いほど協力関係を打ち立てるのが難しくなるという点の解説については Kenneth Oye, "Cooperation under Anarchy: Hypothesis and Strategies," *World Politics*, vol.38, no.1, 1985, pp.1-24 をみよ。

(20) "Fortress China: Xi Jinping's Plan for Economic Independence," *Financial Times*, 14 September 2022 が詳しい。

(21) 同時に台湾を含む西側諸国の内部において、中国共産党統一戦線工作部が浸透工作を展開

しているのは周知のとおりである。英語文献は数多くあるが、邦語文献の例としてクライブ・ハミルトン（山岡鉄秀・奥山真司訳）『目に見えぬ侵略——中国のオーストラリア支配計画』（飛鳥新社、2020年）を挙げておく。

(22)　注9を参照せよ。

(23)　この点に関しては、村山祐三「経済安全保障推進法の意義と課題」が参考になる。また推進法は民間技術のみを基本的には対象としており、その運営は軍事関連技術をつかさどる現行の法制度・政策とは相互干渉しないという暗黙の前提がおかれている。

(24)　例外は肥料であろうか（注5参照）。日本の食料安全保障政策に対し警鐘を鳴らすものとしては、例えば鈴木宣弘『農業消滅——農政の失敗がまねく国家存亡の危機』（平凡社、2021年）をみよ。

(25)　公安調査庁『経済安全保障の確保に向けて2022——技術・データ・製品等の流出防止』をみよ。この文書は同庁の経済安全保障特集ページからダウンロードできる、https://www.moj.go.jp/psia/keizaianpo.top.html。

(26)　「基本的な方針」、6頁。8頁、9、10頁にも同様の指摘が繰り返されている。他方、11頁には2組織間における分業が示唆されている。そこには国家安全保障局を「司令塔とし、関係行政機関を含めて、これらが相互に協力して安全保障の確保に関する経済施策を総合的かつ効果的に推進する体制を構築・強化する。内閣府に本法の実施等を担う組織（経済安全保障推進部局）を設けるとともに、上記施策の推進に際し、我が国の安全保障に関する重要事項については、国家安全保障会議での審議を経るものとする」とある。

(27)　2022年5月23日に東京で立ち上げが発表された。14ヵ国が参加している。オーストラリア、ブルネイ、フィジー、インド、インドネシア、日本、韓国、マレーシア、ニュージーランド、フィリピン、シンガポール、タイ、アメリカ、ベトナム（アセアン10ヵ国のうちIPEFに未加盟なのはカンボジア、ミャンマー、ラオス）。詳しい動向はJETRO「特集　インド太平洋経済枠組み（IPEF）の動向」をみよ、https://www.jetro.go.jp/biznews/feature/ipef2022.html。

(28)　以下の外務省サイトからダウンロード可能（ただし英語原文のみ）。「山田外務副大臣のインド太平洋経済枠組み（IPEF）閣僚級会合への出席（結果）」、https://www.mofa.go.jp/mofaj/press/release/press3_000922.html。日本からは経済産業省大臣と外務大臣が出席した。

(29)　外務省「日米経済政策協議委員会（経済版「2＋2」）」2022年7月29日、https://www.mofa.go.jp/mofaj/na/na2/us/page6_000720.html。共同声明も同じサイトからダウンロード可能。

（川﨑剛　サイモン・フレイザー大学政治学部教授）

日本の経済安全保障政策におけるサイバーセキュリティ強化
—背景としての米中対立と2つのサイバーセキュリティ問題—

川口　貴久

はじめに

　日本のサイバーセキュリティ政策は経済安全保障の文脈で強化されている。それは、基幹インフラのサプライチェーン・リスク対策およびサイバー産業スパイ対策である。

　2022年5月に成立した「経済施策を一体的に講ずることによる安全保障の確保の推進に関する法律（いわゆる「経済安全保障推進法」、以下「推進法」とする）」は「安全保障の確保に関する経済施策」として4つの制度を新設する。その中でも、サイバーセキュリティの観点では「特定社会基盤役務の安定的な提供の確保」が最も重要である。これは14の基幹インフラ事業の一定の事業者が重要な設備、ソフトウェア、クラウドサービス、委託事業者等を調達・選定する際、政府がこれらに「特定妨害行為」等のリスクがないかを事前審査するものである。しかし、推進法は日本の経済安全保障政策の全てではない。推進法の枠組み以外では、警察庁や公安調査庁が経済安全保障問題への対応体制を強化し、民間企業等に対して技術流出防止の一環としてサイバーセキュリティ強化（サイバースパイ対策）を促している。

　このように近年、日本や世界各国で経済安全保障への関心が高まっている背景には、激化する米中対立がある。もちろん、日本の経済安全保障政策の中心である推進法そのものは特定国に言及していないし、いかなる特定国も念頭におくものではない、としている。しかし、驚くべきことではないが、政策形成者は米中対立を念頭においている。与党・自民党で経済安全保障に関する政策議論をリードし、推進法を成立させた小林鷹之前経済安全保障担当大臣は、経済安全保障という考え方自体は昔からあるものの、（今日の議論の）「現状認識については、やはり米中の覇権争いが皮切りになった」と振り返る。

　安全保障の専門家らはより明確に経済安全保障の背景としての米中対立に言及する。とりわけ経済安全保障を、先端技術をめぐる米中の競争と捉える分析もある。米中対立を背景に、米国政府では「経済・科学技術・安全保障にかかわる政策は、より一体化しつつある」中、日本でも経済と安全保障を一体的に捉える考え方が再認識されたといえる。日本の経済安全保障政策が加速する要因として、より直接的に「中国の台頭」を指摘する見方もある。

　本稿も経済安全保障と米中対立をこのように捉え、日本で強化されるサイバーセキュリティ政策の背景を詳述する。具体的には、2010年代以降に顕在化した米中間の2つのサイバーセキュリティ問題が今日の日本のサイバーセキュリティ政策強化に影響を与えている。

　２つのサイバーセキュリティ問題とは、米国の観点からは、第一に商業的優位の獲得を目的した中国政府による民間企業に対するサイバー攻撃、つまり中国政府が支援・関与するとみられる「高度で持続的脅威（Advanced Persistent Threat: APT）」によるサイバースパイ活動の問題である。第二に、中国政府による中国企業を介したサイバー攻撃、つまり中国政府の指示に従う恐れのある通信機器メーカー等が政府調達や重要インフラに埋め込まれるリスクである。日本でも同様の懸念が広がる中、２つのサイバーセキュリティ問題に対応する形でサイバースパイ活動への対策や基幹インフラのセキュリティ強化が整備されてきた。

　本稿はまず、経済安全保障とサイバーセキュリティの概念について簡単に整理した上で、日本の経済安全保障政策におけるサイバーセキュリティ強化策の概要を示す。その上で、こうしたサイバーセキュリティ強化の背景にある 2010 年代以降のサイバーセキュリティをめぐる米中対立を論じる。

1.　経済安全保障の文脈で強化されるサイバーセキュリティ政策

（1）　経済安全保障とサイバーセキュリティ

　「経済安全保障（economic security）」と「サイバーセキュリティ（cybersecurity）」はいずれも「セキュリティ」に関する分析概念・政策であり、本稿は両者の重複部分、特に「経済安全保障」からみた「サイバーセキュリティ」を扱う。

　推進法では「経済安全保障」の定義は明らかにされていないものの、一般に「国家が経済的な手段を用いて政治的目標を達成すること」「経済的手段によって安全保障を確保すること」と定義される。ここでは経済が「手段」であり、安全保障が「目的」である。[5]

　「経済安全保障」の他、経済と安全保障の関連性に注目した類似の分析概念・政策として、「地経学（geoeconomics）」「エコノミック・ステイトクラフト（economic statecraft）」があげられる。[6] これらはそれぞれ強調している点が異なり、日本の「経済安全保障」は守りの面が強く、「地経学」「エコノミック・ステイトクラフト」は他国に対する強制（coercion）や影響力行使といった「攻め」の面が強い。

　経済安全保障にせよ地経学にせよ、サイバーセキュリティはこれらの重要な構成要素である。例えば、ロバート・ブラックウィル（Robert D. Blackwill）らは、７つの「地経学的手段」として、貿易政策、投資政策、経済・金融制裁、サイバー、援助、金融・為替政策、エネルギー・コモディティ政策をあげている。[7] 経済安全保障のツールとしてのサイバー分野は、サイバー攻撃のみならず、最近では「民間企業のインターネットインフラストラクチャの武器化」[8] 等も指摘されている。また分析概念として有効かは別として、「サイバー・ステイトクラフト（cyber statecraft）」[9] という考え方も提唱されている。

　ところで、本稿における「サイバーセキュリティ」とは、デジタル空間上の情報、データ、プログラム等の機密性（Confidentiality: C）、完全性（Integrity: I）、可用性（Availability: A）を一定の期待レベル以上で維持・管理することを指す。具体的かつ簡単にいえば、サイバー攻撃によって機微な情報やデータが漏洩しないこと（C）、重要なプログラムやコンテンツが改竄されないこと（I）、重要インフラやITシステム等が期待通り機能すること（A）である。サイバーセキュリティ政策はこうした「C」「I」「A」を一定レベル以上で維持し、高める政策である。

(2)　日本の経済安全保障政策とサイバーセキュリティ強化

　日本では2019年以降、こうした意味での「経済安全保障」議論が加速する中、「サイバーセキュリティ」政策も強化されてきた。そして2022年5月11日、第208回通常国会で推進法が成立し、既に法律の一部は8月1日より施行された。推進法は「安全保障の確保に関する経済施策」として4つの制度を創設する。具体的には、①特定重要物資の安定的な供給の確保（いわゆる「サプライチェーンの強靭化」）、②特定社会基盤役務の安定的な提供の確保（いわゆる「基幹インフラのセキュリティ確保」）、③特定重要技術の開発支援、④機微な特許出願の非公開の4分野である。

　いずれの制度もサイバーセキュリティに関係するが、特に「基幹インフラのセキュリティ確保」はサイバーセキュリティの観点で重要である。というのは、サプライチェーン強靭化や特定重要技術の開発支援におけるサイバーセキュリティは規制政策というよりも民間企業の取組みに対する財政面等での支援政策である一方で、「基幹インフラのセキュリティ確保」は規制政策の側面が強い（後述）。

　しかし、小林鷹之経安保担当大臣（当時）が国会で繰り返し述べているように、推進法は「重要な一歩」だが、「これで全てをカバーするものではない」。日本の経済安全保障政策は、推進法よりも広範囲に渡る（表1）。推進法以外でサイバーセキュリティ強化の要素が強いのは、産業スパイ・技術流出対策である。

a)　基幹インフラのサプライチェーン対策

　推進法にいう「基幹インフラのセキュリティ確保」は一定規模以上の基幹インフラ事業者が重要な機器やサービスなどを調達する際、外部からのサイバーリスクがないかを政府が事前に審査するものだ。「基幹インフラ」とは、電気、ガス、石油、水道、鉄道、貨物自動車運送、外航貨物、航空、空港、電気通信、放送、郵便、金融、クレジットカードの14分野を指す。審査対象は、重要な設備、ソフトウェア、サービス、外部委託先と多岐にわたる。そのため、この制度は基幹インフラのサプライチェーン上のサイバーセキュリティ強化ともいえる。

　推進法の目的は「安全保障の確保」であり、法律上で繰り返し言及される「外部から行われる行為により国家及び国民の安全を損なう事態」を防ぐことが狙いである。しかし、基幹インフラのセキュリティ強化については、その目的をより明確に「我が国の外部から行われる特定社会基盤役務の安定的な提供を妨害する行為」、いわゆる「特定妨害行為」を

表1　日本の経済安全保障上の重要テーマとサイバーセキュリティ強化の要素

分類	テーマ	サイバーセキュリティ強化の要素
経済安全保障推進法	特定重要物資の安定的な供給の確保（サプライチェーンの強靭化）	サプライチェーン強靭化の対象である「特定重要物資」として、「クラウドプログラム」が指定。
	特定社会基盤役務の安定的な提供の確保（基幹インフラのセキュリティ確保）	14の基幹インフラ事業の一定の事業者が重要な設備、ソフトウェア、クラウドサービス、委託事業者等を調達・選定する際、政府がこれらに「特定妨害行為」等のリスクがないかを事前点検を行う。
	特定重要技術の開発支援	経済安全保障重要技術育成プログラム第一次案で支援対象に「サイバー空間領域」が明示。
	特許出願の非公開	
経済安全保障推進法以外	サプライチェーン上の人権リスクへの対応	
	セキュリティ・クリアランス制度	
	産業スパイ・技術流出対策	警察庁や公安調査庁の取組みでは、ビジネス上の機微情報の主な流出経路の一つとして、サイバー攻撃が明示。
	研究インテグリティの見直し	
	安全保障貿易管理の強化	
	新興技術管理	
	重要な土地取引の規制	
	投資審査の取組・体制強化	
	「リスク点検」の定式化、継続・深化	
	経済インテリジェンスの強化	

上記の推進法以外のテーマは、既に法整備等が行われたもの、政策形成が進んでいるもの、与党・国会・財界から提言がなされているものをとりあげた。提言については国会附帯決議（参議院内閣委員会、2022年5月10日）；自民党政務調査会・経済安全保障対策本部「わが国が目指すべき経済安全保障の全体像について〜新たな国家安全保障戦略策定に向けて〜」（2022年10月5日）および「経済安全保障対策本部中間とりまとめ〜『経済財政運営と改革の基本方針2022』に向けた提言」（2022年5月25日）；一般社団法人日本経済団体連合会「経済安全保障法制に関する意見：有識者会議提言を踏まえて」（2022年2月9日）を参照。

防止することとしている。具体的な特定妨害行為は2023年5月までに閣議決定される基本指針で示される予定だが、小林大臣の国会答弁では、特定重要設備の供給者が把握する脆弱性情報を悪用したマルウェア配布、特定重要設備に予め不正プログラム（バックドア等）を埋め込むこと、特定重要設備のメンテナンス委託先が管理業務を意図的に放棄することが指摘された。いずれも外国政府による指示等を端緒とする。[14]

　つまり、この制度は基幹インフラ機能の妨害を防ぐため、基幹インフラのサプライチェー

ンに外国政府等の支配・影響を受ける恐れがある事業者を排除するものである。

　b)　技術流出対策

　推進法以外のサイバーセキュリティ強化としてあげられるのは、警察庁や公安調査庁による技術流出対策としてのサイバーセキュリティ対策である。いずれの組織も特に先端的な技術やデータの流出を経済安全保障問題として捉え、流出の主要な経路としてサイバー攻撃をあげている。ただし、警察ではサイバー攻撃を筆頭の経路、公安調査庁では最後の経路として例示しているため、位置づけは異なる可能性がある。[15]

　公安調査庁では、2021年2月に設置した長官直轄の経済安全保障関連調査プロジェクト・チームを、2022年4月に経済安全保障特別調査室に改組し、これまで調査第一部（国内関連）と調査第二部（国外関連）に分散していた経済安全保障関連の情報収集・分析機能を集約するという。[16]警察庁では経済安全保障を外事問題の一環としてとらえ、体制を整備する。警察庁は2022年度、警備局外事情報部外事課に経済安全保障室を設置し、警視庁や各道府県警の警備・外事関係部署も経済安全保障関連の取組みを進める。

2.　米中対立と2つのサイバーセキュリティ問題

　このように日本におけるサイバーセキュリティの取組みは経済安全保障政策の一環で強化されている。そして、こうした政策は2010年代に顕在化した米中間の2つのサイバーセキュリティ問題に対応する形で形成された。

　しかし、2つのサイバーセキュリティ問題を詳述する前に、**争点化していない**サイバー活動、つまり政府間の諜報目的のサイバー活動について触れる。争点化していないサイバー活動を確認することで、2つのサイバーセキュリティ問題の所在がより明確化されるからである。

(1)　争点ではないサイバー活動：政府間で行われる諜報目的のサイバー活動

　まず政府間の諜報目的のサイバー活動そのものは国際法上で禁じられていないし、米中間で実際に行われていると考えるべきである。サイバー空間における実質的な国際規範ともいえる「タリン・マニュアル2.0」[17]では、サイバー諜報活動それ自体を禁じる規則はないと判断した。問題は諜報活動の手法であり、主権侵害等の違法な活動が含まれるかどうかである。[18]ただし、主権侵害とみなされうるサイバー活動もこれまで行われてきたとみるべきだろう。

　米国による外国政府へのサイバー諜報活動の実態は分からないものの、米情報機関トップがそうした活動を行ってきたと示唆することがあった。例えば、中国から米人事管理局（Office of Personnel Management: OPM）に対するサイバー攻撃と大規模な個人情報漏洩に[19]関して、元米中央情報局（Central Intelligence Agency: CIA）長官のマイケル・ヘイデン

（Michael Hayden）は、「本件は"中国の恥"ではない。この類の情報を保護できなかった"我々の恥"である」とし、もし自身が情報機関のトップで、中国で同じデータを手にする機会あれば迷わず回収すると明言する。さらに当時、オバマ（Barack H. Obama）政権で米国の[20]17の情報機関を束ねる立場にあったジェームズ・クラッパー（James Clapper）国家情報長官（Director of National Intelligence: DNI）でさえ、「我々は中国人に対して、彼らがやったことについてある種の敬意を持つべきだ」と述べ、批判を浴びた。両氏のコメントは政[21]府間でのサイバー諜報活動が当然のように行われてきたことを強く示唆する。政府間の諜報目的のサイバー活動は事実上、黙認されてきたといえる。

(2)　米国からみた2つのサイバーセキュリティ問題

他方、米国が争点化した中国関連のサイバーセキュリティ問題は、政府間の諜報目的のサイバー活動とは異なる。それは第一に、中国政府による産業振興を目的とした**米国民間企業に対する**サイバースパイ活動であり、第二に、中国政府がその支配・影響下にある**中国企業を通じて行う**サイバー攻撃である（図1）。[22]

前者は、サイバー攻撃による軍事技術や先端技術の強制移転の問題である。米国通商代表部（United States Trade Representative: USTR）は、通商法301条に基づく報告書（2018年3月22日）の中で、「中国政府による不公正な政策・方法を通じた技術獲得・競争優位性獲得」の手法の一つとして、サイバー攻撃を指摘している。こうした中国から米[23]民間企業の営業秘密や知財を狙った攻撃について、当時の米国サイバー軍司令官・アレグザンダー（Keith B. Alexander）大将は「史上最大の富の移転」と呼んだ。

後者は、政府・重要インフラのサプライチェーン・リスク管理の問題である。具体的に

図1　2つのサイバーセキュリティ問題（米国からの視点）

サイバー攻撃による強制的な技術移転リスク	埋め込まれたサプライチェーン・リスク
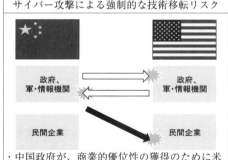	
・中国政府が、商業的優位性の獲得のために米国の民間企業を標的にサイバー活動を行うこと ・基本的には情報窃取の問題	・中国政府が、中国政府の支配・影響下の民間企業を通じてサイバー活動を行うこと ・情報窃取＋破壊・妨害活動の問題

（注）　黒色の矢印は米国が問題視する中国のサイバー攻撃・サイバー活動を指す。
（出所）　筆者作成。

は、米連邦政府の調達や「高速・大容量」「低遅延」「多接続」を特徴する第五世代移動通信システム（5G）の構築・運用に中国政府の影響下にある民間企業が関与し、情報窃取や破壊行為を行うのではないかという懸念である。これら2つのサイバーセキュリティ問題について第3節と第4節でそれぞれを詳述する。

3. サイバー攻撃による強制的な技術移転

(1) 転換点としての2013年
民間企業や産業界に対するサイバー攻撃・スパイ活動は長く問題となっていた。しかし、米中間のサイバー産業スパイ問題が大きな転換点を迎えたのは2013年である。[24]

米セキュリティ会社のマンディアント（Mandiant）社は2013年2月18日、中国のサイバー攻撃に関する報告書を公開した。報告書は具体的な証拠を示しながら、最も烈度の高いサイバー攻撃をしかけるグループを「APT1」と呼び、中国人民解放軍総参謀部第3部第2局（第61398部隊）と密接な関連があると結論づけ、攻撃の発信源として上海にある施設を特定した。報告書によれば、2006年以降少なくとも141の組織や機関が被害にあった。[25] 当然、中国国防部はマンディアント報告書を真っ向から否定した。[26]

しかし、そもそもサイバー攻撃の発信源を特定すること（アトリビューション）は100%断定できるものではない。アトリビューションは白黒はっきりする二者択一の問題ではなく、濃淡があるグラデーション、確度・程度の問題である。その意味では、マンディアントの報告書は十分な説得力があるといえる。

この頃から、米国内で対中批判が高まっていく。オバマ政権のドニロン（Thomas E. Donilon）国家安全保障担当大統領補佐官が3月11日、講演で「中国からの前例のない規模でのサイバー攻撃」を「看過できない」と発言し、ヘーゲル（Chuck Hagel）国防長官も6月1日、アジア安全保障会議（通称シャングリラ・ダイアローグ）でサイバー攻撃への中国政府・軍の関与を示唆した。その一週間後、米中首脳会談でオバマ大統領が習近平国家主席に同様の懸念を伝えたと報じられた。だが、習主席は「米国が通信会社から大量の情報を収集している」旨の報道をもとに、サイバースパイは米国のほうであると切り返し、米中は合意に達しなかった。[27]

上記の報道は、後に元国家安全保障局（National Security Agency: NSA）職員のエドワード・スノーデン（Edward Snowden）によるNSAの機密情報の暴露に基づくものであったと判明する。米国がサイバー空間で監視・情報収集活動を行っていることは周知の事実であったが、スノーデン事件により米国政府への批判が高まる。こうした事情で米中交渉はとん挫したかのように見えた。

(2) 2015年サイバー合意の形成と破綻
しかし、オバマ政権は従来の方針を大きく転換し、2014年5月1日、米民間企業へのサ

イバー攻撃を理由に、人民解放軍将校5名を刑事訴追する。中国国防部がマンディアント報告書を否定した日（2013年2月20日）、オバマ政権は諸外国からのサイバースパイ活動を防止するための文書『米国の営業機密の窃盗を低減するための戦略』を公表していた。その中で掲げられた「法執行の強化」を、オバマ政権はまさに実践したのである。

　刑事訴追や金融制裁といった対抗措置は、当然、実行犯の特定（アトリビューション）を含む。その上で、特定した実行犯を公開することは、「パブリック・アトリビューション」と呼ばれる。

　2015年9月25日、再び米中首脳会談が開催される。会談の主要議題は、南シナ海の埋立て問題と並び、サイバーセキュリティであった。そしてオバマ大統領と習主席は、米中が「（自国の）企業や商業セクターに対して商業的優位性を提供することを目的として」知的財産・営業機密を窃取するサイバー攻撃を実行・支援しないことで合意した。後に、中国は同様の商業的サイバースパイ行為を禁じる合意を英国（2015年10月）、豪州（2017年4月）、カナダ（2017年6月）等と交わしている（日本は同様の合意に至っていない）。

　当時から米中合意の実効性を疑問視する見方はあったものの、最終的には、米国のインテリジェンス・コミュニティによる年次報告「世界脅威評価」（2017年3月、2018年2月）は「攻撃の量という点では2015年9月の米中サイバー合意以前よりも格段に低い」と評価した。しかし、2019年版（2019年1月）以降、すなわち2018年末頃までの状況では当該記述は削除された。各国政府機関や多くのセキュリティ会社が指摘しているように、中国政府が関与しているとみられる米国や他国の民間企業へのサイバー攻撃は今日まで継続的に実施されている。

　2015年のサイバー合意が破綻したことについてはいくつかの仮説があげられるが、米国の政策形成者や研究者にとっては、米中の最高指導者による合意でさえ、サイバースパイ活動を抑制することは難しいという結論を得ただろう。

　2014年以降、米司法省や連邦捜査局（Federal Bureau of Investigation: FBI）は中国を含む諸外国が支援するサイバー攻撃について、パブリック・アトリビューションと刑事訴追を継続的に実践してきた。日本を含む同盟国・有志国との政策協調も行われた。加えて、米司法省はサイバースパイに限らない、産業スパイ対策をまい進する。例えば、中国政府による米産業界・学術界に対する産業スパイ行為を摘発・起訴すべく、2018年11月に「China Initiative」を開始するが、中国系への差別を助長するとして2022年2月に終了した。

（3）　日本での対応

　多くの日本の民間企業も中国APTによるサイバースパイ活動の標的となってきた。これに対して、日本政府は内閣サイバーセキュリティセンター（National center of Incident readiness and Strategy for Cybersecurity: NISC）、経済産業省、情報処理推進機構（Information-technology Promotion Agency: IPA）、JPCERTコーディネーションセンター、警察等が中心となって民間企業に対して警鐘を鳴らし、脅威情報を公開してきた。

　また日本政府は中国発のサイバースパイ活動に関するパブリック・アトリビューション
を行ってきた。それには米英政府等との政策協調としての取組みから、日本独自の取組み
が含まれる。

　米司法当局は 2018 年 12 月 21 日、民間企業等を狙ったサイバー攻撃グループ「APT10」
の実行犯として、中国国家安全部天津市国家安全局とつながりのある 2 名を刑事訴追する
と発表した。日本も初めて中国発のサイバー攻撃を公式に非難し、外務省報道官は「かか
る攻撃を断固非難」という強い表現で声明を発表した。その際、NISC や IPA も外務報道官
談話を引用しながら警鐘を鳴らした。同様に 2021 年 7 月 19 日、外務省は米国・英国政府
による「APT40」に関するパブリック・アトリビューションを参照しつつ、「我が国として
も、APT40 は中国政府を背景に持つものである可能性が高いと評価」した。

　同じ頃、初の日本独自のパブリック・アトリビューションが注目を集めた。松本光弘警
察庁長官は 2021 年 4 月 22 日の記者会見で、宇宙航空研究開発機構（Japan Aerospace
Exploration Agency: JAXA）を始めとする約 200 の国内企業・組織に対するサイバー攻撃
は「Tick と呼ばれるサイバー攻撃集団によって実行」され、その背景に「山東省青島市を
拠点とする中国人民解放軍戦略支援部隊ネットワークシステム部第 61419 部隊が関与して
いる可能性が高い」と結論付けた。

　その後、新たに閣議決定された「サイバーセキュリティ戦略」（2021 年 9 月）では初め
て中国・ロシア・北朝鮮を名指しし、特に中国は「軍事関連企業、先端技術保有企業等の
情報窃取」のためサイバー攻撃を展開してきたとの評価を下した。[34]ただし、こうした表現
や認識は警察庁や公安調査によるものを参照する形式であり、こうした認識を最初に示し
たのは警察であった。[35]

　このように、日本は中国 APT によるサイバースパイ攻撃に関するパブリック・アトリ
ビューションを行うことで、脅威認識を明らかにしてきた。サイバーセキュリティ対策全
般は NISC、IPA、JPCERT いった組織が情報提供を行い、特に中国 APT という点では警察
庁や公安調査庁が果たした役割は小さくなかった。

4.　埋め込まれたサプライチェーン・リスク

　国家を背景とするサイバースパイ活動に加えて、米中間の争点となってきたのは、華為
技術（Huawei Technologies、ファーウェイ）や中興通訊（ZTE）をはじめとする中国通信
企業による情報窃取や破壊行為への懸念である。つまり、政府や重要インフラ等のサプラ
イチェーンに埋め込まれたリスクである。

(1)　転換点としての 2018 年
　この問題は遅くとも 2012 年時点で米国内の大きな関心事項であった。例えば、2012 年
10 月の米下院情報委員会の報告書は、中国の大手通信機器メーカー 2 社の提供する機器は

米国の国家安全保障上のリスクであり、米政府は両社の機器を使用すべきではない、と勧告している[36]。

　しかし、この問題が大きく動いたのは2018年前後である。この時期は、米国ではトランプ（Donald J. Trump）政権が対中貿易戦争を仕掛けた時期であると同時に、前述のとおり2015年の米中サイバー合意の破綻が明らかになった時期でもある。

　特に重要な転換点は、トランプ大統領の署名を以って成立した2019会計年度国防授権法（2018年8月13日）である。同法第889条は政府調達から特定中国企業の「排除」を明言した。すなわち、①特定の中国通信機器メーカー、②部品としてこれら企業製品を組み込んだ完成品、③これら企業製品を使っている企業を政府調達から排除すること、の3点を決定した。ここで明示された中国企業とは、ファーウェイ、ZTE、監視カメラの世界最大手・杭州海康威視数字技術（HIKVISON）、顔認証技術大手・浙江大華技術（Dahua Technology）、モバイル無線大手・海能達通信（Hytera Communications）の5社である。

　程度の差こそあれ、米国の同盟国でも政府調達や5Gネットワーク構築における中国企業に対する同様の懸念は高まっていた。

　その直接的背景として指摘されたのは、「いかなる組織及び国民も、法に基づき国家情報活動に対する支持、援助及び協力を行い、知り得た国家情報活動についての秘密を守らなければならない[37]」（第7条）と規定した中国国家情報法（2017年6月28日施行）である。例えば、米国のペンス（Mike Pence）副大統領のミュンヘン安全保障会議演説では明示的に[38]、豪州政府の5G調達方針に関する決定（2018年8月23日）は暗示的に[39]、中国政府の中国企業を通じた機密情報へのアクセスに懸念を表明した。

　当然、中国政府は、米国の対応は根拠がないものであると批判してきた。

（2）　米国の3つの規制

　今日の米国における特定中国企業の調達・利用等の規制は主に3つの分野で展開されている[40]。第一に、前述の2019会計年度国防授権法（2018年8月成立）に代表される政府調達規制である。

　第二に、通信業界における規制である。「安全で信頼できる通信ネットワーク法」（2020年3月）や「安全な機器に関する法」（2021年11月）により、特定中国企業が米国内で新たに許可を得て、通信機器を販売することは実質的に不可能となった。対象は当初、政府調達規制対象の5社だったが、米国連邦通信委員会（Federal Communications Commission: FCC）は2022年3月、米国家安全保障と米国人の安全に容認できない脅威をもたらし得る「対象機器・サービス」のリストを更新し、ロシアのカスペルスキー（Kaspersky）、中国電信（China Telecom）、中国移動通信（China Mobile）とその関連会社を加えた。

　法規制に加えて、広い意味での通信業界に関する対中政策も公表された。トランプ政権は2020年8月、米通信業界に対する中国政府の影響を排除するために「クリーンネットワーク」を拡充し、「全ての自由を愛する国家や企業がクリーンネットワークに参加するこ

とを求める」構想を明らかにした。既に4月に発表していた5Gネットワーク（Clean Path）に加えて、電気通信サービス（Clean Carrier）、アプリストア（Clean Store）、アプリ（Clean Apps）、クラウドサービス（Clean Cloud）、海底ケーブル（Clean Cable）の6分野を重点領域と位置付けた。バイデン（Joe Biden）政権の誕生に伴い、「クリーンネットワーク」という言葉自体は聞かれなくなったが、同様の考え方はバイデン政権にも引き継がれていると考えてよいだろう。

　第三の規制はより広範で、重要インフラ全般、先端技術や個人データを有する企業を広く対象としたものである。米国「情報通信技術・サービス（ICTS）サプライチェーンの安全確保」に関する大統領令13873号（2019年5月15日）および商務省暫定最終規則（2021年1月19日）は、重要インフラや先端技術等のICTSから中国（香港を含む）、キューバ、イラン、北朝鮮、ロシア、ベネズエラといった「外国の敵対者（foreign adversaries）」の影響を排除することを試みる。「外国の敵対者」やその投資先・管理先が設計、開発、製造、供給したICTSを購入・利用する取引のうち、「過度または許容できないリスクをもたらすもの」については、米商務長官の判断で取引中止やリスク軽減措置の履行を指示することができる。こうした取組みの対象は①米国の重要インフラ16分野の事業者、②通信関連製品・サービス、③米国人100万人超の機微な個人データをホスティングサービス、④米国人100万個超販売された通信可能な電子製品、⑤米国人100万人超が利用する通信関連ソフトウェア、⑥機械学習や量子コンピューティング等の先端技術に必須のICTSと多岐にわたる。[41]

　このように米国では2018年以降、多様な主体による政策・立法措置により、政府や重要インフラ等のサプライチェーンから特定中国企業が排除されてきたといえる。

（3）　日本での対応

　日本でも同じ時期より5G調達等をめぐるサイバーセキュリティ、特定中国企業に対する懸念が高まっていた。そのような状況で政府は2018年12月10日、関係省庁による「IT調達に係る国の物品等又は役務の調達方針及び調達手続に関する申合せ」を決定した。これは、「重要業務に係る情報システム・機器・役務等の調達におけるサイバーセキュリティ上の深刻な悪影響を軽減するため」、政府機関が重要な通信回線装置（ハブ、ルータ）、サーバ装置、端末、ソフトウェア、周辺機器、役務（開発、運用・保守等）等を調達する際の方針や手続きを示したものだ。[42]

　この調達方針・手続きの趣旨はサイバーセキュリティ上、「安全なもの」を選定するということであって「特定国の企業や製品の排除ありきではない」とされてきた。しかし、中国企業の製品やサービスを調達しなかった政府機関があるのも事実である。少なくとも防衛省・自衛隊では2018年12月以降、「中国に本社を置く、例えばファーウェイといったようなメーカーが製造したパソコンを調達したという実績」はない、としている。[43]中国に本社をおく企業のみならず、創業者・経営者・出資者が中国に関連する企業は政府調達に

おける焦点の一つとされている。⁽⁴⁴⁾

　しかし、「申合せ」はあくまでも政府機関の調達方針を示したものであり、基本的に重要インフラ等の民間企業は対象ではない。⁽⁴⁵⁾そこで、推進法では、社会的に重要なサービスや機能を提供する民間企業、つまり基幹インフラ事業者のサプライチェーン上のサイバーリスク対策を強化することとなった。政府は 2023 年 5 月までに、「特定社会基盤役務基本指針（仮）」を閣議決定し、同 11 月まで特定社会基盤事業者が指定される。

おわりに

　以上をまとめると、本稿は日本の経済安全保障政策におけるサイバーセキュリティ強化として、基幹インフラのサプライチェーン・リスク管理とサイバー攻撃による技術流出対策の 2 つを指摘した。前者は推進法の下で整備され、後者は警察や公安調査庁等による取組みが進む。その上で、本稿はこうしたサイバーセキュリティ強化の背景として、2010 年代以降に顕在化した米中間の 2 つのサイバーセキュリティ問題の存在を指摘した。これらの問題は、米国の観点からは①商業的優位の獲得を目的した中国政府による民間企業に対するサイバー攻撃、②中国政府による中国企業を介したサイバー攻撃に関わる問題である。日本でもこうした懸念が広がる中、2 つのサイバーセキュリティ問題に対応する形でサイバーセキュリティ政策が整備されてきた。

　前者（①）については、中国政府が支援・関与するとみられる APT によるサイバースパイ活動である。米国はこの問題に対して、パブリック・アトリビューションや刑事訴追といった対応を講じつつ、米中合意（2015 年 9 月）による解決を模索した。しかし、米国視点では米中合意は破綻し、今日まで中国によるサイバースパイ活動は継続している。日本は中国とのサイバー合意を締結しなかったが、パブリック・アトリビューション分野での米国等との政策協調や独自取組みで脅威認識を明らかにしつつ、企業や研究機関にサイバー攻撃による技術流出の警鐘を鳴らしてきた。

　後者（②）は中国政府の指示に従う恐れのある通信機器メーカー等が政府調達や通信インフラに埋め込まれるサプライチェーン・リスクである。これに対して、米国は 2018 年頃より、3 つの規制（連邦政府の調達規制、通信業界の規制、より広範な規制）で対応した。日本ではまず、政府調達における対応強化という形で、「申合せ」（2018 年 12 月）を決定した。しかし、より広範な民間企業のインフラに対する抜本的な対応強化は、推進法を待たねばならなかった。

　本稿は、第一に日本の経済安全保障とサイバーセキュリティの繋がりを示した点、第二に近年の日本のサイバーセキュリティ強化の背景を米中対立の観点から説明した点で意義があると考える。

　他方、本稿の課題としては次の 2 点があげられる。第一に本稿は「2010 年代のサイバーセキュリティをめぐる米中対立を背景に、日本のサイバーセキュリティ政策が経済安全保

障の一環で強化された」という仮説を提示したに過ぎず、日本側の受容・政策形成に関する実証は十分ではない。第二に、本稿は基幹インフラのセキュリティやサイバー産業スパイ以外の重要なサイバーセキュリティ問題を扱っていない。例えば、データをめぐる問題は米中のみならず、世界的な課題となっている。(46)今後も経済安全保障とサイバーセキュリティが交錯する領域を注視していく必要がある。

（2022 年 11 月 30 日脱稿）

【注】

（1）　原一郎、遠藤信博、片野坂真哉、小林鷹之、佐橋亮「座談会：経済安全保障の確保に向けて」『月刊経団連』（2022 年 12 月）、4-18 頁。

（2）　新興技術をめぐる米中の競争という観点では、村山裕三編著『米中の経済安全保障戦略：新興技術をめぐる新たな競争』（芙蓉書房出版、2021 年）。

（3）　佐橋亮「バイデン政権下における米中対立と経済安全保障」日本安全保障貿易学会 第 31 回 研 究 大 会（2021 年 3 月 13 日 ）、https://www.cistec.or.jp/jaist/event/kenkyuutaikai/kenkyu31/01_02_sahashi.pdf. 本稿で示す URL は全て 2022 年 11 月 30 日にアクセスした。

（4）　井形彬らは、日本の経済安全保障（正確にいえば、エコノミック・ステイトクラフト）政策が強化された要因として、①先端技術の本質的変化、②「自由で開かれたインド・太平洋」構想、そして最も重要な点として③中国の台頭と攻撃的政策を指摘する。Akira Igata and Brad Glosserman, "Japan's New Economic Statecraft," *The Washington Quarterly*, Vol.44, Issue 3 (September 2021), pp.25-42.

（5）　経済安全保障は目新しい考え方ではない。日本ではかつて、1970 年代にエネルギー、食糧、シーレーンなどを含む「総合安全保障」が提唱された。大平正芳首相が設置した総合安全保障に関する研究グループも「経済的安全保障」に言及した。具体的な定義を明示していないものの、「経済的安全保障」を（軍事的な意味での）「狭義の安全保障」と対置させ、経済を安全保障の目的および手段として言及している。当時の経済安全保障は「手段」であり、「目的」であったといえる。
　　　政策研究会・総合安全保障研究グループ（議長：猪木正道）「総合安全保障研究グループ報告書」（1980 年 7 月）。データベース「世界と日本」（代表：田中明彦）, https://worldjpn.grips.ac.jp/documents/texts/JPSC/19800702.O1J.html

（6）　国際政治分野におけるエコノミック・ステイトクラフトについては、鈴木一人「検証　エコノミック・ステイトクラフト」『国際政治』第 205 号（2022 年 2 月）、1-13 頁。

（7）　Robert D. Blackwill & Jennifer M. Harris, *War by Other Means: Geoeconomics and Statecraft*（Cambridge: Harvard University Press, 2016）, pp.59-68.

（8）　Juan Ortiz Freuler, "The Weaponization of Private Corporate Infrastructure: Internet Fragmentation and Coercive Diplomacy in the 21st Century," *Global Media and China*, First published online November 12, 2022.

（9）　エコノミック・ステイトクラフトのような研究蓄積があるわけではないが、サイバー・ステイトクラフトに言及したものとして、Jason Healey, "Pursuing Cyber Statecraft," Issue Brief, Atlantic Council, September 13, 2011; Gavin Wilde, "Cyber as Statecraft, Not War," Defense Priorities, July 11, 2022.

(10)　サイバーセキュリティ基本法（第二条）では「サイバーセキュリティ」が非常に複雑に定義されているが、要約すると本文の通りとなる。なお本文中の、「C」「I」「A」に関する説明は、情報セキュリティに関する国際規格（ISO27001/ISMS）を参照したものである。

(11)　2019年以降の与党・自民党、内閣官房や経済産業省等の政府、財界の取組みの概要は、川口貴久「企業に求められる経済安全保障対応」『リスクマネジメント Today』Vol.133（2022年7月）、10-13頁を参照。

(12)　政府サイバーセキュリティ本部および内閣サイバーセキュリティセンター（NISC）が中心となって対策をすすめる「重要インフラ」（サイバーセキュリティ基本法にいう「重要社会基盤事業者」）と経済安全保障推進法にいう「基幹インフラ」は異なるものである。いずれも14分野・業界が指定され、実質的にはほとんど重複するが、微妙に異なる。

(13)　サイバーセキュリティ分野でいう「サプライチェーン・リスク」「サプライチェーン攻撃」という用語は専門家間でも用語の意味・定義・範囲が異なるケースがあるので注意が必要である。「サプライチェーン攻撃」には、大きく分けて、①サイバー攻撃を受けた取引先経由の攻撃、②調達・利用している製品・サービス経由の攻撃の2つの意味がある。海外では主に②の意味で使われ、本稿中では②の意味で用いる。詳細は、佐々木勇人「なぜ、SSL-VPN製品の脆弱性は放置されるのか〜"サプライチェーン"攻撃という言葉の陰で見過ごされている攻撃原因について〜」JPCERT/CC（2022年7月14日）、https://blogs.jpcert.or.jp/ja/2022/07/ssl-vpn.html

(14)　小林鷹之経済安全保障大臣答弁、第208回国会衆議院内閣委員会、第12号、No.260（2022年3月25日）をもとに筆者修正。

(15)　警察庁の研究機関・企業向けの啓発・アウトリーチ用資料では、想定される技術流出経路として①サイバー攻撃による技術流出、②スパイ工作による技術流出、③経済・学術活動を通じた技術流出をあげ、公安調査庁の同様の資料では、想定される技術流出経路として①投資・買収、②不正調達、③留学生・研究者の送り込み、④共同研究・共同事業、⑤人材リクルート、⑥諜報活動、⑦サイバー攻撃を指摘している。警察庁「技術流出の防止に向けて」（2022年8月）；公安調査庁「経済安全保障の確保に向けて2022：技術・データ・製品等の流出防止」（2022年5月）。

(16)　同じタイミングで「サイバー空間を介した攻撃等による機微技術・データ等の流出」を含むサイバー脅威に対応するため、公安調査庁内にサイバー特別調査室が設置された。経済安全保障政策とサイバーセキュリティ政策に重複する部分があるように、公安調査庁内の経済安全保障特別調査室とサイバー特別調査室は重複する部分があると考えられる。公安調査庁「経済安全保障関連調査及びサイバー関連調査の取組強化について」（2022年3月8日更新）。

(17)　Michael N. Schmitt, eds., *Tallinn Manual2.0 on the International Law Applicable to Cyber Operation*（Cambridge: Cambridge University Press, 2017）.

(18)　「タリン・マニュアル 2.0」を参照したサイバー諜報活動の違法性に関する分析は、河野桂子「武力攻撃未満のサイバー攻撃に関する国際法：『タリン・マニュアル 2』を題材に」『ブリーフィングメモ』（防衛研究所、2017年10月）。

(19)　米連邦政府職員の個人情報等を管理する人事管理局（OPM）は2015年6月4日、サイバー攻撃による個人情報漏洩を発表した。最終的に米国の人口の約7％に相当する約2,200万人の社会保障番号等が流出したと公表され、これには1,970万人分の身元調査票（薬物使用歴、健康状態、海外での接触者履歴等）や110万人分の指紋記録が含まれる

(20)　Julian Hattem, "Ex-CIA head: 'Shame on us' for allowing government hack," *The Hill*, June 16, 2015.

(21)　Damian Paletta, "U.S. Intelligence Chief James Clapper Suggests China Behind OPM Breach," *The Wall Street Journal*, June 25, 2015.

(22)　川口貴久「サイバー空間における『国家中心主義』の台頭」『国際問題』No.683（2019 年 7・8 月号）、37-46 頁。

(23)　サイバー攻撃以外では、裁量的な許認可や合弁化要求等を通じた強制技術移転、市場ベースの交渉妨害、企業買収が指摘されている。Office of the United States Trade Representative (USTR), Executive Office of the President, Findings of the Investigation into China's Acts, Policies, and Practices Related to Technology Transfer, Intellectual Property, and Innovation under Section 301 of the Trade Act of 1974 (March 22, 2018), pp.3, 5.

(24)　本節は、川口貴久「サイバーセキュリティをめぐる米中対立」『リスクマネジメント Today』第 113 号（2019 年 3 月）、4-8 頁を改変したものである。また、この問題を米中対立と関連付けた先行研究として、布施哲「米国による対中制裁関税発動の背景：オバマ政権期における『経済諜報型』サイバー攻撃を中心に」『戦略研究』第 28 号（2021 年 3 月）、31-50 頁。

(25)　Mandiant, *APT1: Exposing One of China's Cyber Espionage Units*, February 2013, pp.3, 20.

(26)　"Chinese military never supports cyberattacks," *China Daily*, February 20, 2013, https://www.chinadaily.com.cn/china/2013-02/20/content_16240194.htm

(27)　詳細は土屋大洋「中国のサイバーセキュリティをめぐる霧」『US-China Relations Report』Vol.1（国際問題研究所、2015 年 8 月 5 日），https://www.jiia.or.jp/column/column-241.html

(28)　Department of Justice, "U.S. Charges Five Chinese Military Hackers for Cyber Espionage Against U.S. Corporations and a Labor Organization for Commercial Advantage," May 19, 2014.

(29)　サイバー空間と制裁に関して、「活動」「能力」「手段」の点から論じたものとして、持永大「サイバー空間が制裁に与える影響」『国際安全保障』第 48 巻第 2 号（2020 年 9 月）、88-106 頁。

(30)　パブリック・アトリビューションに関する詳細は、瀬戸崇志「国家のサイバー攻撃とパブリック・アトリビューション：ファイブ・アイズ諸国のアトリビューション連合と SolarWinds 事案対応」『NIDS コメンタリー』第 179 号（2021 年 7 月 15 日）。

(31)　The White House, Office of the Press Secretary, "FACT SHEET: President Xi Jinping's State Visit to the United States," September 25, 2015.

(32)　Daniel R. Coats, Director of National Intelligence, "Statement for the Record: Worldwide Threat Assessment of the US Intelligence Community," Senate Select Committee on Intelligence, May 11, 2017, p.1.

(33)　2015 年米中サイバー合意の破綻については、様々な仮説と解釈がある。例えば、①対中貿易戦争を「公約」に掲げていたトランプ（Donald J. Trump）政権の誕生に伴い、中国側が 2015 年合意の遵守の意義を見出さなかったというもの、②中国は、サイバー攻撃を犯罪者等の非国家アクターに外注・委託することで形式的に 2015 年合意を順守していると解釈しているもの、等である。

(34)　サイバーセキュリティ戦略本部「サイバーセキュリティ戦略の骨子」（2021 年 9 月 28 日）、29 頁。

(35)　警察庁警備局「治安の回顧と展望」(2020 年 12 月)、79 頁；公安調査庁「サイバー空間における脅威の概況 2021」(2021 年 3 月 5 日)。

(36)　*Investigative Report on the U.S. National Security Issues Posed by Chinese Telecommunications Companies Huawei and ZTE*, A report by Chairman Mike Rogers and Ranking Member C.A. Dutch Ruppersberger of the Permanent Select Committee on Intelligence, U.S. House of Representatives 112th Congress, October 8, 2012.

(37)　岡村志嘉子「中国の国家情報法」『外国の立法』第 274 号 (2017 年 12 月)、64-75 頁。

(38)　"Remarks by Vice President Pence at the 2019 Munich Security Conference," Munich, Germany, February 16, 2019, https://trumpwhitehouse.archives.gov/briefings-statements/remarks-vice-president-pence-2019-munich-security-conference-munich-germany/

(39)　"Government provides 5G security guidance to Australian carriers," Joint Media Release, August 23, 2018, p.3, https://parlinfo.aph.gov.au/parlInfo/search/display/display.w3p;query=Id%3A%22media%2Fpressrel%2F6164495%22

(40)　本文中で示した規制以外でも、一部の輸出管理や金融制裁による措置も特定中国企業の調達・利用等に関する規制とあげられるが、本稿では主に政府調達や重要インフラ等の調達に関わる規制をとりあげた。

(41)　U.S. Department of Commerce, "Securing the Information and Communications Technology and Services Supply Chain," January 19, 2021, § 7.3.

(42)　関係省庁申合せ「IT 調達に係る国の物品等又は役務の調達方針及び調達手続に関する申合せ」(2018 年 12 月 10 日)、https://www.nisc.go.jp/pdf/policy/general/chotatsu_moshiawase.pdf　「申合せ」は 2020 年 6 月に一部改正され、対象組織が中央省庁に加えて独立行政法人やサイバーセキュリティ基本法に定める指定法人に拡大した。

(43)　土本英樹政府参考人答弁、第 208 回国会衆議院安全保障委員会第 7 号 No.086 (2022 年 6 月 3 日)。

(44)　筆者による政府関係者インタビュー (2022 年 9 月)。

(45)　ただし、5G 特定基地局開設等の認定申請にあたっては、事業者は「申合せ」に留意して、サプライチェーン・リスク対応を含むサイバーセキュリティ対策を講ずることとされているように、重要インフラ業界の一部では「申合せ」を参照する形もあった。

(46)　データをめぐる問題の詳細は、川口貴久「経済安全保障とサイバーセキュリティ」『世界経済評論』(2022 年 5・6 月)、78-85 頁。

（川口貴久　東京海上ディーアール）

《論文》
電気通信業への外国投資を巡るグローバル・ガバナンスへの挑戦
─米国チームテレコムと CFIUS による対米投資審査の変遷から見る新機軸─

居石　杏奈

はじめに

　1998 年、WTO 基本電気通信合意が発効され、国際的に通信市場の開放が求められるようになった。一方で、米国は自らも合意したグローバルなガバナンス体制に挑戦する動きを見せてきた。米国の買収・合併事案の安全保障上の審査は、国家レベルでの対立に発展することもある。通信免許を保有する米国通信企業の買収・合併事案では、米国企業から外国企業への免許の移転も伴う。そのため、投資の観点から対米外国投資委員会（CFIUS）、そして投資に伴う免許移転の観点から「チームテレコム（Team Telecom）」と呼ばれる非公式省庁間組織が審査する、「二重審査」が通例となり、問題視されてきた。

　米国では「行政機関から独立」した独立規制機関である米国連邦通信委員会（FCC）が電気通信免許の許認可を担う。米国通信法 310 条（免許の所有および移転についての制限）上、外国企業が免許を保有する米国通信事業者へ出資する際には、直接出資は 20％まで、間接出資は 25％までの外資規制が設けられている。(1) この基準に基づき、FCC は安全保障など十分な専門性を有しない観点については、行政機関の助言を受け、免許の付与・移転を判断する。外国資本が一定程度含まれる申請について、複数の行政機関の合議体である「チームテレコム」に申請を送致し、安全保障上の観点から助言を受け、認可を判断する慣行が続いてきた。このチームテレコムは、司法省、国土安全保障省（DHS）、国防総省が中心となり、国務省、商務省の電気通信情報局（NTIA）、通商代表部（USTR）なども参加する。チームテレコムは長い間、その組織も審査プロセスも非公式なものだった。

　一方で CFIUS は議会がつくった公式の枠組みである。CFIUS はチームテレコムと同様に議長制をとる省庁間組織であるが、その審査対象は通信分野に限定されず、分野横断的に審査を行う。CFIUS とチームテレコムの参加省庁は重複しており、認可時の安全保障上の条件づけとして、「軽減合意」と呼ばれる取決めを申請者と締結する同一の手法を用いる。軽減合意は、事案ごとに異なり、政府の通信傍受への協力から網羅的なサプライチェーンの開示まで、申請者への広範な要求事項が記載されている。

　このような類似点を持つ CFIUS とチームテレコムという 2 つの組織が 1 つの米国企業の買収・合併審査において、同時に別々に審査を行う。そのため、この二重審査は不透明かつ重複しており、投資行動や事業に影響を及ぼすとして批判されてきた。そして 2020 年 4月、ドナルド・トランプ（Donald J. Trump）政権は、大統領令 13913 号を発出し、チーム

テレコムは CFIUS と同様に、公式の閣僚級組織となった。公式化後のチームテレコムは司法省を議長として、2 審制が導入され、既存免許の再審査も可能になっている。

　CFIUS とチームテレコムの双方が公式なものとなり、その審査は明文化された。にもかかわらず、両組織の役割の違いは未だ不明確なままであり、併存しながら二重審査を続けていると見られる。この 2 つの組織の違いについては、中国、そして日本から WTO で問われた際にも、米国政府は表面的な回答しかしていない[2]。各国政府においても、米国の外国投資審査における審査運用の政策的意図は掴みきれない状況である。

　そこで本論文においては、チームテレコムと CFIUS の関係性から、米国の通信分野における外国投資審査の運用の実態を明らかにする。これにより、規制に関する研究の 1 つの側面である「規制の重複」に焦点を当てた研究として、今後の規制動向の予見性を高め、外国投資家と企業の通信事業への投資リスクの軽減を目的とする。

　本論文においては、FCC の審査記録を用いて、「チームテレコムの買収・合併審査」の観点から CFIUS との関係性の変遷を捉えた。その結果、チームテレコムは、CFIUS から生まれ、併存した 2 つの組織が内部で審査上の協力関係を築いてきた歴史が確認された。そして現代では、チームテレコムは公式化され、CFIUS と高度に協働可能な二重審査を拡大し、FCC と審査を強化する、新機軸となる審査運用のメカニズムが生成されていた。これにより米国の通信業への外国投資審査でのガバナンスは、今までになく強固なものとなっていることを明らかにする。

1.　先行研究

　カリム・ファルハット（Karim Farhat）は、チームテレコムと CFIUS という 2 つの機関が、依然として驚くほどの規制の重複を含んでいると指摘した。そして、チームテレコムの公式化後も、両機関が統合されなかったことについて、制度的・構造的な惰性を主張する[3]。他方で、ラクラン・ロブ（Lachlan Robb）らは、「規制の重複」を正面から扱う専門的な研究の不足を問題視するとともに、「規制の重複」について、場合によっては、運用上の有用性があり、一律に非効率とみなせないことを指摘した[4]。ダフナ・レナン（Daphna Renan）は、議会が成文化した CFIUS と対比し、チームテレコムは実質的に立法府の管轄権外であると主張した。そして FCC の許認可を活用することにより、司法府の監視をも受けずに民間事業者を規制する力を持つ事例としてチームテレコムのあり方に注目する。またチームテレコムは、CFIUS が審査対象としない新規投資の審査が可能である点も指摘している[5]。しかし、この審査対象上の差分は、2020 年に実質なくなることになる。2018 年に外国投資リスク審査現代化法（FIRRMA）が成立し、2020 年 2 月にその最終規則が施行され、CFIUS は権限をさらに強化した。CFIUS は新規投資にまで審査対象を広げ、チームテレコムは認可後の再審査が可能になり、2 つの組織の審査対象の重複は拡大している。

　2000 年の国家安全保障電気通信諮問委員会（NSTAC）の報告書は、行政機関による FCC

の審査への関与がWTO基本電気通信合意の裏で1997年から起こり、新しい問題を提起しているとした。[6]しかし「チームテレコム」という名前が既存研究で言及されるのは、確認できる範囲で、2007年頃の海底ケーブルの新規免許申請の審査案件を扱う文献からである。[7]言い換えれば、2007年以前の審査案件の分析を扱う当時の文献においては、チームテレコムの名前は確認できない。また2003年の通信事業者グローバルクロッシング社の買収事案のように、FCCの免許審査への行政機関の関与を「CFIUS」の審査と同一視している文献が複数見られた。例えば、クラーク・ハリー（Clark Harry）とサンキータ・ジャヤラム（Sanchitha Jayaram）は、FCCの許認可上で締結された軽減合意をCFIUSの審査上の記述ぶりで論じている。[8]2007年にCFIUSは外国投資および国家安全保障法（FINSA）により、法的な枠組みを強化する改革がなされた。このFINSAの改革以降、FCCの免許審査をCFIUSの審査と同一視するような記述は文献上見られなくなった。

2. 分析の枠組み

　既存研究からは、FCCの審査への行政機関の関与について、審査主体に係る解釈・記述の変遷が確認できた。具体的には2007年のCFIUSの改革以降にチームテレコムの言及が見られ始め、2020年に双方が組織改革を実現するような連動した動きが捉えられる。

　そこで本論文ではCFIUSの制度変遷に沿い、FCCの審査記録から買収・合併審査における審査の実態を探ることとする。分析対象期間は、行政機関の安全保障上の審査が先行研究で確認され始めた1997年の1月から2022年8月に承認された審査を対象にして分析を行う。CFIUSの法改正である2007年10月のFINSAの施行、2020年2月のFIRRMAの最終規則施行を区切りとして、対象期間を3つに分ける。具体的には、分析対象期間は、①1997年1月から2007年9月、②2007年10月から2020年1月、③2020年2月から2022年8月と設定する。

　チームテレコムの審査対象として、代表的なものは、米国と外国間の通信サービスを提供するための国際通信免許、そして海底ケーブル陸揚げ免許がある。本論文では、この2つの免許の移転に関わる買収・合併審査を中心に分析を行う。大型の投資案件に求められる米国通信法310条に基づく申請記録を分析し、その中でもFCCの公告で買収・合併事案とされていた代表的な事例を対象とする。申請記録の収集は、FCCの提供する高度国際局ファイル・システム検索（Advanced IBFS Search）およびデータベース、FCCレポート（FCC Report）を用いて行った。軽減合意には、国家安全保障協定（National Security Agreement：NSA）と書簡による保証（Letter of Assurances：LOA）の2種類がある。[9]大統領令13913号とFCCの関連規則、CFIUSのFINSAとFIRRMAの制度内容を把握しつつ、軽減合意の内容にも注目し、FCCの審査記録の分析を行い考察する。本論文の「公式」が意味するのは、そのルール・手続きが明文化されていることとする。

3.　分析

(1)　外資参入の時代：（1997年1月から2007年9月）

　米国では外国企業への通信市場の開放を決定し、海外からの投資が拡大する中でどのように通信の安全保障について評価したらよいか、という問題が浮上した。CFIUSの安全保障官庁は、CFIUSの審査の補完として、FCCの免許移転の審査を利用し始めた。

1997年：MCIとBTの合併審査への介入

　1997年の米国第2位の電話会社MCIコミュニケーション（MCI）と英国最大の電話会社ブリティッシュ・テレコム（BT）の合併事案から、行政機関によるFCCの審査への介入が見られた。まず、国防総省と司法省の一機関であるFBI（連邦捜査局）は、FCCに行政機関が助言をするまで審査を延期するように要請した。その際、国防総省は、現在CFIUSは適切な場ではなく、CFIUSの審査内では自分たちの懸念を解消することが「難しい場合がある」と言及した。そしてFCCの審査上で安全保障上の条件づけを課すことができると主張した[10]。当時のCFIUSは、議長は財務省であり、国防総省、司法省、国務省、USTRといった後のチームテレコムのメンバーも所属していた。議長制を取るものの、議長は実質的にメンバーと対等な立場にあるに過ぎず、省庁間の激しい対立を引き起こすことがほぼ確実な特異な構造であったとされている[11]。CFIUSは、第1段階30日以内の審査と第2段階45日以内の調査、の基本的には合計75日で結論を出す必要があった。またそれ以上の審査は、第3段階として大統領に報告され、15日以内に裁定される。つまりCFIUSは最長90日で審査結果を出す必要があった。このような体制的・制度的な限界を背景に、CFIUSの安全保障官庁は、CFIUSの審査と同時並行で行われる、経済官庁との調整が不要で、審査期間のない、買収・合併に伴うFCCの「免許移転」の審査を利用し始めた。FCCの審査上で買収・合併に伴う軽減合意を申請者と調整し、締結すると、その合意を条件として、FCCに認可するように勧告した。表1は、1997年1月から2002年12月までに軽減合意が締結された承認案件の代表例を表す。

　表1のように、軽減合意の中には、CFIUSの審査に係る記述が見られるものがあった。この中で、行政機関はCFIUSの審査においても異議を唱えないことを宣言し、申請者は、FCCの認可後、CFIUSに自発的な届け出をすることを約束させられていた。最終的な裁定は、FCCに委ねられていたものの、FCCは結果的に行政機関の勧告を受け入れ、認可した。表1の3および5の合弁企業設立の事案では、CFIUSの記述は見られない。自国内に新たに法人を設立するような新規投資は当時のCFIUSでは、審査の対象外であったためと考えられる。軽減合意での行政機関の主な懸念は、情報セキュリティ対策であり、米国政府の合法的な傍受への協力義務や企業データの米国内での保存義務などが盛り込まれた。このように軽減合意についてFCCの審査上で実質的に合意した後に、CFIUSの審査に進むよう

表 1　行政機関が審査に関与した案件（1997 年 1 月から 2002 年 12 月）

	承認時期	案件	免許の移転理由	軽減合意	軽減合意の署名 / 宛先	軽減合意内のCFIUS 記述	審査日数
1	1997 年	MCI / BT	合併	NSA	国防総省、FBI	●	296
2	1999 年	Airtouch / Vodafone	合併	NSA	国防総省、司法省、FBI	●	136
3	1999 年	AT &T / BT	合弁企業設立	NSA	国防総省、司法省、FBI	×	346
4	2000 年	VoiceStream / Omnipoint	合併	NSA	司法省、FBI	●	213
5	2000 年	Vodafone AirTouch / Bell Atlantic	合弁企業設立	NSA	国防総省、司法省、FBI	×	153
6	2001 年	VoiceStream / Powertel / DT	買収	NSA	司法省、FBI	●	221
7	2001 年	Comsat / Telenor Satellite	買収	NSA	司法省、FBI	●	218
8	2002 年	Vodafone / Globalstar	買収	NSA*	国防総省、司法省、FBI	—	84
9	2002 年	XO Communications	買収	NSA	司法省、FBI	●	224

（注）　網掛けは本文での言及箇所である。*は既存の軽減合意の流用を表す。
（出所）　FCC 審査記録をもとに筆者作成。

に促すことで、安全保障官庁は CFIUS 外で自らの懸念を払拭し始めた。他方で、FCC 側では、この行政機関の審査に懐疑的であり、安全保障官庁が CFIUS の審査がありながら、FCC に審査を持ち込み、審査を長期化させていることに疑問を呈していた。[12]

2003 年：DHS の CFIUS への加入

　2001 年の米国同時多発テロをきっかけにジョージ・ブッシュ（George W. Bush）政権は、DHS を設立し、既存の重要インフラ防護に関連する政府機能を集約した。さらに、2003 年3 月の大統領令 13286 号により、DHS は CFIUS メンバーとなった。これ以降、DHS は FCC の審査についても、司法省、国防総省とともに介入した。表 2 は、2003 年 1 月から 2007 年 9 月までに軽減合意が締結された承認案件の代表例を表す。

　表 2 の 1 を見ると、2003 年のグローバルクロッシングの買収から、DHS が審査に加わっていることが分かる。2005 年 DHS には政策局、司法省には安全保障局が設立され、CFIUS の審査を担当するようになり、体制が強化された。表 2 の 4 や 6 のように、買収・合併事

表2　行政機関が審査に関与した案件（2003年1月から2007年9月）

	承認時期	案件	免許の移転理由	軽減合意	軽減合意の署名 / 宛先	軽減合意内のCFIUS記述	審査日数
1	2003年	Global Crossing / GC Acquisition	買収	NSA	国防総省、DHS、司法省、FBI	●	406
2	2003年	Pacific Telecom / Bell Atlantic New Zealand	買収	NSA	国防総省、DHS、司法省、FBI	●	202
3	2004年	Loral Satellite / Intelsat North America	買収	LOA	司法省、FBI、DHS	●	299
4	2006年	Guam Cellular / NTT DoCoMo, Inc.	買収	NSA	司法省、FBI、DHS	×	223
5	2007年	TELPRI / America Movil, S.A. de C.V.	買収	NSA	司法省、DHS	●	321
6	2007年	CTC / Choiceone	合併	LOA	司法省、FBI、DHS	×	761

（注）　網掛けは本文での言及箇所である。
（出所）　FCC審査記録をもとに筆者作成。

案において、軽減合意に全くCFIUSの記述のないものも見られた。次第に安全保障官庁はCFIUSの審査とは関係なく、軽減合意を締結し始めたと言われている[13]。その後、CFIUSは議会により改革が検討され、議会の監視を強め、組織として一体的な行動を求められていくことになった[14]。

(2)　FINSAのCFIUS改革とチームテレコムの始動（2007年10月から2020年1月）

　2007年10月にFINSAが成立し、CFIUSは法的な枠組みを強化された。FINSAによるCFIUSの大きな変更点として、議会による監督があった。CFIUSは、大統領だけでなく議会に対する年次報告書の提出、また審査段階や要請に応じて説明義務が求められた。また軽減合意に違反したなど一定の場合に、再審査が可能となった。議長である財務省の権限も強化され、財務省が案件ごとに専門性を有する審査主管機関を指定し、共に審査実務を担当することになった。FINSAの成立を機に安全保障官庁はCFIUSとは別の枠組みである「チームテレコム」として動き始めた。チームテレコムは現在の審査の原型となる独自の審査プロセスを築くとともに、CFIUSと「二重審査」をする非公式組織として知られていった。

2007 年：FINSA による CFIUS 改革

　FINSA は、軽減合意は申請者と個々の CFIUS メンバーとの協定ではなく、CFIUS を代表して（on behalf of）締結するものと規定した。この文言により、安全保障官庁は、単独で CFIUS のメンバーとして、軽減合意を締結する権限を弱められ、従来のように各省の判断で、FCC の審査において申請者との交渉をしにくい状況となった。その結果、安全保障官庁は「チームテレコム」という名前を用いて、CFIUS とは別の組織として、FCC の審査介入を従来通り継続することになっていった。表 3 は、2007 年 10 月から 2010 年 12 月までに、軽減合意を締結した代表的な承認案件を表す。

　表 3 を見ると、2008 年以降は、軽減合意から CFIUS の記述が消えていた。安全保障官庁は CFIUS の審査プロセスの一環としてではなく、「チームテレコム」という別の枠組みとして引き続き免許審査に関与していくことになった。しかし、CFIUS とチームテレコム、双方に司法省、DHS、国防総省の 3 省が所属しており、CFIUS 関連業務を担当する部署や職員がチームテレコムの業務を兼任していたため、実務上は 2 つの審査は連動していた[15]。この時期には、チームテレコムが実質的に審査を完了した後で、CFIUS が公式の審査プロセスを開始し、CFIUS の承認を待って FCC が承認する、チームテレコムと CFIUS の「二重審査」が見られるようになっていった。

　チームテレコムは、買収・合併に伴う「免許移転」のみならず、CFIUS が公式には審査対象外にしている「新規免許」についても、積極的に審査した。チームテレコムの審査はCFIUS とは異なり、各機関は意見を調整するが、必ずしも全会一致のコンセンサスは必要ない。司法省は通信傍受・テロ対策、DHS はサプライチェーン、国防総省は軍事といった各々の観点から関与する案件を決め、専門性をいかして軽減合意の内容を変化させ、申請

表 3　チームテレコムが審査に関与した案件（2007 年 10 月から 2010 年 12 月）

	承認時期	案件	免許の移転理由	軽減合意	軽減合意の署名 / 宛先	軽減合意内の CFIUS 記述	審査日数
1	2008 年	SunCom Wireless / T-Mobile USA	買収	NSA*	DHS、司法省、FBI	×	130
2	2009 年	Stratos Mobile / Inmarsat Group	買収	NSA*	DHS、司法省、FBI	×	212
3	2009 年	IT&E / Pacific Telecom Inc.	買収	NSA*	DHS、司法省、FBI	×	404
4	2010 年	Cook Inlet GSM IV PCS / T-Mobile USA	組織再編	NSA*	DHS、司法省、FBI	×	777

（注）　網掛けは本文での言及箇所である。*は既存の軽減合意の流用を表す。
（出所）　FCC 審査記録をもとに筆者作成。

者と交渉した。チームテレコムは CFIUS とも二重審査を継続しながら、FCC の免許審査において、安全保障官庁主導で独自の審査を築いていった。[(16)]

2010 年：米国議会における華為と ZTE に対する懸念

2010 年に、米国議員たちは、中国企業の華為と ZTE への懸念から、CFIUS の審査の課題を表明した。この背景には、2009 年頃から、華為がスプリントなどの米国通信企業のネットワークに機器の提供を協議していた報道があった。議員は、当時の FCC 委員長宛にレターを送り、現在の CFIUS 体制では、米国の通信企業が行っている外国企業からの機器の調達を精査することができない、と主張した。そして通信ネットワークのセキュリティ確保について、FCC と他の機関との協働状況を把握したいと詳細な情報を要求していた。[(17)]
表 4 は 2011 年 1 月から 2020 年 1 月までに軽減合意を締結した代表的な承認案件を表す。表中にある 2011 年以降の NSA では、従来の情報セキュリティ対策に加え、主要機器のリ

表 4　チームテレコムが審査に関与した案件（2011 年 1 月から 2020 年 1 月）

	承認時期	案件	免許の移転理由	軽減合意	軽減合意の署名／宛先	軽減合意内の CFIUS 記述	審査日数
1	2011 年	NextWeb / TelePacific	買収	LOA	DHS、司法省	×	70
2	2011 年	Global Crossing / Level3	買収	NSA	司法省、DHS、国防総省	×	157
3	2012 年	Truphone / Vollin Holdings	買収	LOA	司法省	×	320
4	2013 年	T-Mobile USA / MetroPCS	合併	NSA*	DHS、司法省、FBI	×	145
5	2013 年	CIVS VII / T-Mobile USA	組織再編	NSA*	司法省、DHS、国防総省	×	59
6	2013 年	Sprint / Softbank	買収	CFIUS と NSA を締結	司法省、DHS、国防総省	—	230
7	2014 年	TWT / Level 3	買収	NSA	DHS、司法省、FBI	×	109
8	2019 年	Inmarsat / Connect Bidco	買収	LOA*	司法省	×	149
9	2019 年	T-Mobile / Sprint	合併	CFIUS と NSA を締結	司法省、DHS、国防総省	—	505

（注）　網掛けは本文での言及箇所である。*は既存の軽減合意の流用を表す。
（出所）　FCC 審査記録をもとに筆者作成。

ストの提出や更新時の通知義務などサプライチェーン対策が盛り込まれていった。

　2012年には、下院情報特別委員会が米国内で事業展開する華為およびZTEがもたらす安全保障上の脅威への対策の必要性を主張する報告書を発表した。そしてCFIUSは、これらの企業が関与する投資案件を阻止すべきであると主張していた[18]。

2013年：ソフトバンクのスプリント買収における高度な「二重審査」

　表4の6にある2013年ソフトバンクが、米国の携帯事業者スプリント（Sprint）を買収した事案では、中国製機器のネットワークでの利用が問題になり、チームテレコムとCFIUSの「二重審査」が認識されるきっかけにもなった。

　この事案については、買収発表後、1ヶ月後にはFCCに申請されており、CFIUSへの申請は、それから100日以上経ってからだった。そしてCFIUSの審査が進行する中で、ソフトバンクが華為の製品を採用している点が問題視され、複数の米国議員から強い懸念が出た。下院情報特別委員会のマイク・ロジャース（Mike Rogers）委員長は、買収交渉に伴ってスプリントとソフトバンクの関係者と話し合い、買収が承認されれば、華為の機器が使われることはないことの確約を得たと発表した。そして同様の確約をCFIUSの審査上も企業側と取り付けることを期待するとした[19]。結果的にはソフトバンクから、チームテレコムではなく、CFIUSと軽減合意を締結したと発表された。FCCもその後、CFIUSの審査結果を踏まえ、チームテレコムの安全保障官庁から勧告を受けたとして承認した。FCCは、CFIUSの軽減合意の内容について一部を明らかにしている。ネットワークに配置された「特定の機器」を2016年12月までに撤去し、廃棄する要求事項までも含まれていたとされ、本件の経緯から、華為製機器の撤去を要求していたと考えられる。

　CFIUSには、チームテレコムと異なり議会への報告・説明義務があり、審査結果が非公開な性質がある。CFIUSで軽減合意を締結すれば、政治的関心にも対応しながら、機微な内容の審査結果を非公開にすることができる。この事案では、チームテレコムが実質的に企業と軽減合意を交渉後に、米国議員からの懸念を受け、特定の中国機器の撤去までを要求する軽減合意をCFIUSと締結したと考えられる。CFIUSとチームテレコムは議員の関心や内容の機微性に鑑み、どちらの組織で審査結果を出すか選択する運用まで可能にしていた。このような高度な「二重審査」の事例は、この案件以外にも見られる。表4の9にあるTモバイルとスプリントの合併においても、チームテレコムとCFIUSで同様の段取りで審査がなされ、CFIUSでNSAを締結し、審査結果が非公開となった。

2017年：CFIUSの強化とチームテレコムの公式化の検討

　CFIUSの権限強化を意図したFIRRMAは、2017年11月に議会に提出された。同時期の2017年8月には、司法省がチームテレコムの公式化について最初の大統領令の草案を作成し、関係省庁と調整を進めていった[20]。その後FIRRMAは、2018年8月に成立した。その規則は法案成立後、順次成立し、最終規則は、2020年2月に施行されることになった。2017

年12月、米国議会の超党派は、当時のFCC委員長に、チームテレコムに華為と米国の通信事業者の関係を検討させるように要請していた。[21]議会の要請を受けながら、チームテレコムの審査を問題視してきたFCCも、チームテレコムとの関係を見直し始めていった。

(3)　FIRRMAのCFIUS改革とチームテレコムの公式化（2020年2月から2022年8月）

　2020年2月には、FIRRMAの最終規則が施行され、同年4月には、大統領令13913号により、チームテレコムは、「米国電気通信役務部門への外国参入査定委員会」として、公式に発足された。[22]大統領令13913号により、チームテレコムは既存免許の再審査も可能となった。FIRRMAにより、CFIUSは新規投資や少額出資のような非支配的な事案にも審査対象範囲を拡大した。そして、特に重要技術、海底ケーブルを含む重要インフラ、機微な個人情報に関わる米国企業への投資に重点を置いている。[23]CFIUSとチームテレコムとの審査対象の重複は以前よりも大きくなり、チームテレコムの公式化後、FCCのチームテレコムの審査に対する協調的な動きが顕著になっていった。

2020年：大統領令13913号によるチームテレコムの改革

　チームテレコムは公式化され、CFIUSと同様に議長制を導入し、司法省が議長となった。表5は、公式化後のチームテレコムとCFIUSの比較を表す。
　表5を見ると、CFIUSとチームテレコムは2020年以降、未だ大きな違いが2つある。

表5　公式化後のチームテレコムとCFIUSの比較

	チームテレコム	CFIUS
議長	司法省	財務省
審査タイムライン	第1次審査120日、第2次審査90日（長期延長あり）	通知前手続き（最長30日）、第1次審査45日、第2次審査45日（最長60日）大統領による決定15日間
委員会メンバー	司法長官、国防長官、国土安全保障長官、大統領が適切と判断した他の行政機関の長、大統領の補佐官	司法長官、国防長官、国土安全保障長官、財務長官、商務長官、米国通商代表、国務長官、エネルギー長官、科学技術政策局
議会への通知・説明義務	×	●
年次報告	大統領	大統領・議会
審査結果の公表	●	×
新規免許・新規投資の審査	●	●
認可後の再審査	●	●
最終的な認可者	FCC	大統領・CFIUS

（注）　網掛けは本文での言及箇所である。
（出所）　筆者作成。

　1点目は、チームテレコムに対して、議会の関与を強める改正は行われていない。チームテレコムの公式化は、CFIUSとは異なり、議会を通じた法律ではなく、司法省が起草した大統領令とFCC規則によって実現された。CFIUSのFINSA成立時のように、審査過程での議会への通知や説明義務は導入されていない。そして年次報告について、CFIUSは大統領および議会に提出するのに対し、チームテレコムは大統領にのみ報告する。

　2点目は、大統領令は、チームテレコムに独立した権限を与えていない。チームテレコムはあくまでもFCCに勧告として「助言」を行い、FCCは行政機関の専門性を尊重し、最終的な認可の判断をする、従来通りの建てつけを維持した。このように、チームテレコムは公式化されながらも、司法府からも立法府からも実質的に管轄外の組織のままである。

2021年：チームテレコムとFCCの対中強硬姿勢

　表6は2020年2月から2022年8月までの軽減合意を締結した代表的な承認案件を表す。

　従来は関連する企業が合同で1つの軽減合意を締結していたが、企業別に分けて1つの申請で複数締結する事例も見られていった。例えば、表6の3では、シンシナティ・ベル（Cincinnati Bell）社とハワイアン・テレコム（Hawaiian Telcom）社の2社別々に軽減合意を締結している。シンシナティ・ベル社との軽減合意には、中国企業が名指しされ、中国製機器の撤去が要請されている。この事例では、同社が提供したZTE製機器をすべて撤去または交換したことを行政機関に証明するまで、6ヶ月ごとに進捗状況を報告するよう義務付ける記述が見られた。

　この背景には、2021年3月、FCCが華為とZTEを含む中国企業5社について、連邦補

表6　チームテレコムが審査に関与した案件（2020年2月から2022年8月）

	承認時期	案件	免許の移転理由	軽減合意	軽減合意の署名/宛先	軽減合意内のCFIUS記述	審査日数
1	2020年	Zayo Group / Digital Colony and EQT IV	買収	LOA	司法省、DHS	×	231
2	2021年	CUB Parent Inc / CUB GP and APG US	買収	LOA	司法省	×	283
3	2021年	Cincinnati Bell Inc. and Hawaiian Telcom / Red Fiber Parent LLC	合併	LOA 2つ	① Cincinnati Bell Inc.（司法省、国防総省）② Hawaiian Telcom（司法省、DHS、国防総省）	×	376
4	2021年	Inteliquent / Sinch US	買収	LOA	司法省	×	242
5	2022年	Lumen / Apollo	買収	LOA	司法省、国防総省	×	295

（注）　網掛けは本文での言及箇所である。
（出所）　FCC審査記録をもとに筆者作成。

助金を用いて購入することを禁止したことがあった。この対象企業については、チームテ
レコムに所属する行政機関に助言を受けながら選定に至っている。このように、許認可以
外でのFCCと行政機関の共同作業も見られ始めた。中国企業の機器を名指しで撤去するよ
うに指示する軽減合意は公表されるなど、2013年のスプリント買収の際とは異なり、米国
政府の中国への強硬姿勢も明確になっていた。

2022年：ウクライナ情勢を踏まえた認可後事案へのFCCの決定
　チームテレコムの公式化後、FCCの免許審査は、認可時の審査のみならず、認可後の監
督においても、新しい動きを見せている。
　2022年、ロシアのウクライナ侵攻を受けて、FCCはロシアの米国電気通信事業者の所有
について内部評価を進めたことを明らかにした。ロシアの大富豪が支配する会社の間接所
有を巡り、英国企業のトルフォン社（Truphone）に66万639ドルの罰金を科すことを発
表した。チームテレコムの審査を理由に、FCCが安全保障上の観点から罰則を科したのは、
これが初めてであった。FCCはトルフォン社が、FCCに不正確な情報を提供したことで、
チームテレコムの勧告を適切に受けられなかったと主張した。一方で、この事案では、行
政機関のFCCへの勧告は、記録からは確認することができない。内部評価の開始や、罰金
を科すことについて、チームテレコムの「助言」に基づいているのか曖昧にしながら、FCC
は安全保障を重視した行動を取り始めている。

4.　考察：CFIUSからの分離と連動、そしてFCCとの協調へ

　分析の結果、FINSAによるCFIUSの改革に伴い、FCCの許認可を通じた通信免許の安
全保障上の審査が、CFIUSとは別組織の「チームテレコム」として確立されていった実態
が明らかとなった。図1は、チームテレコムとCFIUS、FCCの関係性の変遷を図示したも
のである。
　1997年、CFIUSの安全保障官庁は、FCCの審査に介入し、CFIUSの審査を補完し始め
た。その後、安全保障官庁は2007年のFINSA成立を機に、「チームテレコム」として組織
的にFCCの審査に関与を強め、CFIUSと内部で審査上の協力関係を築いていった。FIMMA
によるCFIUSの改革と同時期の2020年、チームテレコムは公式化されたものの、未だ実
質的に司法府と立法府の管轄外となっている。この組織の建てつけのまま、チームテレコ
ムの活動領域が公式に拡大することで、他の行政機関の活動領域も同時に拡大しているこ
とが観察される。

（1）　CFIUSとの依存関係―「統制の内在化プロセス」による二重審査の拡大
　風間規男は、米国行政において、議会といった外在的な必要性から生まれた行政の統制
手法が、統制の網羅性と質を高めるため、次第に行政に委ねられることを「統制の内在化

図1　チームテレコムと CFIUS、FCC の
関係性の変遷イメージ

外資参入の時代
（1997年1月〜2007年9月）

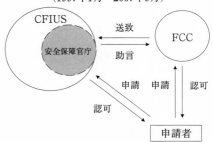

FINSAによる改革後
（2007年10月〜2020年1月）

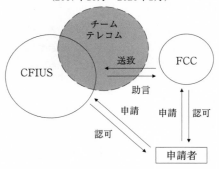

FIRRMAによる改革後
（2020年2月〜2022年8月）

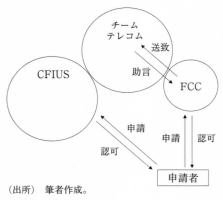

（出所）　筆者作成。

プロセス」と呼称した。この「統制の内在化プロセス」は、議会が生み出した CFIUS との関係性の中で、安全保障官庁が FCC の許認可に介入し、チームテレコムとして審査を確立した過程に当てはめることができる。そして風間は、この行政による行政の内部統制は、統制手法の高度化・多元的統制を可能にしていくと、その可能性を肯定的に捉えていた。[27]

　チームテレコムと CFIUS の二重審査は、まさにこの域にあると考えられる。その特異性は、どちらの組織でどこまで見るかを、各々の制度自体のスコープや専門性だけではなく、議会の関心や内容の機微性に合わせ、選択できる点である。内部でのガバナンスだけでなく、自分たちの審査が内政や外政に影響を与えることを認識し、審査をどのように対外的に見せるか、という観点でも協働可能となっている。

　チームテレコムが公式化された後も、2つの組織は、議会との関係、審査結果の公表の有無という、従来からの違いが維持された。そしてチームテレコムは2審制が導入されたものの、実態は行政機関の裁量で、無制限に審査機関が延長できる仕組みである。[28] これらに鑑みれば、今後も外部からでは予測不可能な二重審査の余地が残されており、2020 年から CFIUS とチームテレコムが各々の審査対象を拡大したことで、二重審査が可能な領域は明らかに拡大している。

　公式な組織の背後で非公式な組織が存続する、今までの表裏だった CFIUS とチームテレコムの関係は、チームテレコムが公式化し、共に閣僚級組織になることによって、対等になったかのように見えた。しかし、

実態は、公式化後もチームテレコムは独立した法的根拠のない、正当性が希薄な組織であり、CFIUSの権限強化という流れの中で、これに連動するものとしてチームテレコムの公式化が検討された可能性が考えられる。チームテレコムは、今後もCFIUSとの関係に、制度発展を方向づけられながら存続し、併存した2つの組織は内部で相互補完し合いながら、連動していくと考えられる。

(2)　FCCとの依存関係―チームテレコムとFCCのアイデアの実践

　FCCは、長い間、チームテレコムの審査の恣意性と長期化を懸念してきた。公式化後のチームテレコムの審査は、軽減合意の内容や締結手法にも変化が見られ、また審査期間は従来から改善しているとは言えない。しかし大統領令13913号の発表後、FCCとチームテレコムの関係は良好に見え、むしろFCCは審査に意欲的な動きを見せている。

　ブライアン・トラモント（Bryan Tramont）は、免許移転のプロセスで申請者に課せられる任意条件は、司法審査からほとんど自由であり、FCCの伝統的な規制手法として用いられてきたとする。そして行政機関はこの免許移転のプロセスの性質に目をつけ利用したとして、その戦略性を指摘していた。[(29)]

　1997年の国防総省とFBIの審査介入は外国人所有に関連する国家安全保障上の問題を検討するための出発点であり、アイデアの域だった。市場開放後、FCCは行政機関に彼らのアイデアを法的監視の光から遠ざかって実践する行動の場を提供させられてきた。そして2020年のチームテレコムの公式化は、FCCに今度は自身のアイデアを実践する政策決定の場をもたらしている。FCCは大統領令により、チームテレコムの存在を自身以外の制度で肯定された。大統領令は、公式化後のチームテレコムの裁量的な行動は「この命令に記載されていない関連する権限」に基づくと規定し、実態としてチームテレコムはFCCの権限に依存せざるを得ない状況になっている。

　FCCは安全保障上の観点での権限をほとんど有していない中で、議員からネットワークの安全性を確保するように要請されてきた。FCCは自らの所管する米国通信法の規定を変更することなく、公式化組織となった「チームテレコム」の名前を仄めかすことで、本来の意思決定主体を曖昧にし、司法審査を回避しながら、自らの施策領域を拡大し始めている。

(3)　制度的共生―「組織」の公式化による非公式な内部利用

　司法府と立法府の実質管轄外の「組織」のままチームテレコムを公式化することにより、行政内部で複数組織が非公式に利用しやすい多元的統制が生まれている。CFIUSは外部からでは予測不可能な二重審査の活動領域を拡大させた。そしてFCCはチームテレコムの明示的な勧告なしに、チームテレコムの名前を援用し、自らが単独では扱いにくい安全保障関連の活動領域を拡大させている。

　制度が制度の枠組みに依存し、その安定性に寄与する組織を創設するというインセンティ

ヴを作出する傾向は「制度的共生」と呼称される。[30] 新制度派経済学者のダグラス・ノース（Douglass North）は、この事象を制度的枠組みが海賊行為に報酬を与えるならば、海賊的な組織が生まれると表現した。[31] CFIUS と FCC は、チームテレコムという公式組織と共生しながら、本来の意思決定者を曖昧にすることで、自らの活動領域を拡大可能にした。複数の機関が、議会の明確な承認なしに、その権限の範囲を組み合わせ、法的解釈を都合よく変更すれば、行政の恣意的な裁量の拡大をもたらす危険性がある。

　伝統的な統治体制では議会は１つの規制機関に責任を一元化してきた。しかし、そのような統制プロセスでは、WTO 基本電気通信合意を経てグローバル化された市場や急速に進化する技術から生み出される新しい安全保障上の懸念には対応することができない。安全保障官庁は、議会がつくりだした投資審査制度の限界から通信の免許審査制度の特性を利用し補完し始めた。規制の分散をあえて維持し、複雑化する安全保障の脅威に対応させ、複数の規制が補完し合う構造を創造した。その上で対外的な審査の見せ方までをコントロールする、CFIUS とチームテレコムの二重審査に見られる高度な連携を考案した。そして現代では、司法府と立法府の実質管轄外であるチームテレコムを公式なものにすることで、複数機関が行政内部で非公式に利用するメカニズムが新機軸として稼働し始めている。

おわりに：CFIUS との高度な協働とチームテレコム・FCC による審査の新形態

　本研究では、「規制の重複」に注目し、チームテレコムと CFIUS との関係から、FCC の申請記録をもとに、通信分野における外国投資審査の実態を論じてきた。その結果、チームテレコムは CFIUS から生まれ、投資審査制度と免許審査制度の補完関係の中で CFIUS と高度に連携し、公式化を迎えたことにより、機関横断的な外国投資審査のメカニズムをもたらしていたことが明らかとなった。

　CFIUS とチームテレコムによる二重審査は、審査内容のみならず、内政や外政への影響に鑑み、どちらの組織で審査を主導するかを選択できる予想困難な高度な運用を可能にしていた。二重審査は制度的な惰性ではなく、複数の規制を併存させ、国家内部でのガバナンスを高度化し、グローバルな国際貿易体制に水面下で対抗する戦略性があった。そして司法府と立法府の実質管轄外の「組織」のままチームテレコムを公式化し、行政内部で複数組織が非公式に利用できる多元的統制が生まれている。この構造は「誰がやっているのかわからない」外形の中で、結果的に複数機関による審査を可能にする。CFIUS は二重審査の領域を拡大し、FCC は認可後事案に罰金を科す提案をするなど、新しい動きを見せ始めている。この米国の予見困難な審査運用は、将来の事業や投資に係る適切な計画や準備に、支障をきたす可能性があるのは言うまでもない。CFIUS とチームテレコムの二重審査の運用の意図、FCC とチームテレコムによる審査の強化を認識し、投資リスクを軽減していく必要がある。

　本論文では、チームテレコムが CFIUS との協働、併せて FCC との免許審査を強化し、米

国の外国投資審査でのガバナンスは、今までになく強固になっていることが明らかとなった。制度の歴史的展開過程を審査記録から読み解く手法を用いたことで、複数の規制を併存させる米国政府の戦略的姿勢の変容を 1990 年代から現代にかけて捉えた。CFIUS という公式組織の背後でチームテレコムという非公式組織が存続し、CFIUS が制度発展を方向づけている表裏の関係性、そしてチームテレコムと FCC の新しい関係性を特定することができた。一方で CFIUS の審査の機密性から、FCC の免許を保持していない通信分野の買収・合併審査については捉えきれていない。今後の課題としては、企業の公表情報など CFIUS の審査に係る情報源と FCC の審査記録を組み合わせ、データの量と質を向上させていくことである。本論文で明らかにした制度とアクターの関係性を踏まえ、研究を継続することで、より適切な外国投資家の予見可能性を高める提言が行えると考える。

【注】
（1）　間接出資の 25% については、WTO 加盟国は 100％まで投資可能とされ、実質的には個別ケースで判断される。
（2）　例えば中国の WTO での質問と米国の回答。Trade Policy Review Body, THE UNITED STATES OF AMERICA MINUTES OF THE MEETING Addendum Chairperson: H.E. Mrs. Mariam MD Salleh（Malaysia），WT/TPR/M/307/Add.1（February 16, 2015）https://docs.wto.org/dol2fe/Pages/SS/directdoc.aspx?filename=q:/WT/TPR/M307A1.pdf&Open=True（2022 年 12 月 9 日アクセス）
（3）　Karim Farhat. "Explaining US Cybersecurity Policy Integration Through a National Regime Lens," https://smartech.gatech.edu/bitstream/handle/1853/66208/FARHAT-DISSERTA-TION-2021.pdf?sequence=1（2022 年 12 月 9 日アクセス）
（4）　Robb, L., Candy, T. & Deane, F. "Regulatory Overlap: A Systematic Quantitative Literature Review," *Regulation & Governance*, 2022.
（5）　Renan, D. "POOLING POWERS," Columbia *Law Review*, vol.115, no.2, 2015, pp.211-291.
（6）　President's National Security Telecommunications Advisory Committee, "Protecting Systems Task Force Report on Enhancing the Nation's Network Security Efforts," https://nsarchive.gwu.edu/document/22367-document-02-president-s-national-security（2022 年 12 月 9 日アクセス）
（7）　Sechrist, M. & Beers, R, "CYBERSPACE IN DEEP WATER: PROTECTING UNDERSEA COMMUNICATION CABLES By Creating an International Public-Private Partnership," https://www.belfercenter.org/sites/default/files/legacy/files/PAE_final_draft_-_043010.pdf（2022 年 12 月 9 日アクセス）
（8）　Clark, H.L. & Jayaram, S. "Intensified International Trade and Security Policies can Present Challenges for Corporate Transactions," *Cornell International Law Journal*, vol.38, no.2, 2005, pp.391-411.
（9）　NSA は、Network Security Agreement の略称とされる場合もある。
（10）　Smith, Carl Wayne, "Reply comments of the Secretary of Defense in the matter of The Merger of MCI Communications Corporation and British Telecommunications," https://www.fcc.gov/ecfs/file/download/1793780001.pdf?file_name=1793780001.pdf（2022 年 9 月 30 日アクセス）

68

(11) Stewart Baker, *Skating on stilts: why we aren't stopping tomorrow's terrorism*,（California: Hoover Institution Press, 2010）, pp.260-274.

(12) Harold Furchgott Roth, "STATEMENT OF COMMISSIONER HAROLD FURCHTGOTT-ROTH CONCURRING IN PART, DISSENTING IN PART," https://transition.fcc.gov/Speeches/Furchtgott_Roth/Statements/2001/sthfr130.html（2022 年 9 月 24 日アクセス）

(13) Lewis, J.A. "New objectives for CFIUS: Foreign Ownership, Critical Infrastructure, and Communications Interception," *Federal Communications Law Journal*, vol.57, no.3, 2005, pp.457.

(14) FINSA については、以下が詳しい。渡井理佳子「アメリカにおける対内直接投資規制の現状」『慶應法学』第 19 号、2011 年、117-137 頁。

(15) 司法省も兼任体制だったと記述がある。U.S. Department of Justice, "FY 2011 Performance Budget Congressional Justification," https://www.justice.gov/sites/default/files/jmd/legacy/2013/09/30/fy11-nsd-justification.pdf（2022 年 9 月 24 日アクセス）p.40.

(16) 例えば以下が詳しい。居石杏奈「大統領令 13913 号によるチームテレコムの公式化を踏まえた審査運用分析―米国海底ケーブル陸揚げ許認可を通じた通信傍受の復活と海軍の関与から見る新形態―」『戦略研究』第 31 号、2022 年、65-87 頁。

(17) Letter from The Honorable Jon Kyl to Julius Genachowskit Chairman Federal Communications Commission（dated October 19, 2010）, https://www.fcc.gov/ecfs/file/download/7021686752.pdf?file_name=7021686752.pdf（2022 年 9 月 24 日アクセス）

(18) Rogers, M. & Ruppersberger, C.A, "Investigative Report on the U.S. National Security Issues posed by Chinese Telecommunications Companies Huawei and ZTE," https://republicans-intelligence.house.gov/sites/intelligence.house.gov/files/documents/huawei-zte%20investigative%20report%20(final).pdf（2022 年 12 月 15 日アクセス）

(19) Michael J De La Merced, "Sprint and SoftBank Pledge to Forgo Huawei Equipment, Lawmaker Says,"（dated March 28, 2013）, https://archive.nytimes.com/dealbook.nytimes.com/2013/03/28/sprint-and-softbank-pledge-to-forgo-huawei-equipment-lawmaker-says/（2022 年 12 月 14 日アクセス）

(20) U.S. Department of Justice, "FY 2020 Performance Budget Congressional Justification," https://www.justice.gov/jmd/page/file/1144086/download（2022 年 9 月 29 日アクセス）

(21) Letter from The Honorable Tom Cotton to Ajit Pai Chairman Federal Communications Commission（dated December 20, 2017）, https://www.fcc.gov/ecfs/file/download/DOC-5894cd-f5a3800000-A.pdf?file_name=18-34.pdf（2022 年 9 月 24 日アクセス）

(22) 新組織は、公式名の頭文字から、CAFPUSTSS（カフェ・プス・ティス）という名称が付けられた。しかし、現在でもチームテレコムの名称が用いられているため、公式化後も本論文ではチームテレコムと呼称する。

(23) FIRRMA については以下が詳しい。杉之原真子「対米直接投資規制の決定過程からみるエコノミック・ステイトクラフト」『国際政治』第 205 号、2022 年、45-60 頁。

(24) Federal Communications Commission, "FCC List of Equipment and Services That Pose National Security Threat," https://www.fcc.gov/document/fcc-list-equipment-and-services-pose-national-security-threat（2022 年 9 月 24 日アクセス）

(25) 例えば、司法長官から FCC 委員長への手紙。Letter from William P. Barr, Attorney General

to Ajit Pai Chairman Federal Communications Commission (dated November 13, 2019), https://www.fcc.gov/ecfs/document/11130351518674/1（2022 年 9 月 24 日アクセス）

(26)　Federal Communications Commission, "FCC Proposes \$660K Fine Against Truphone in Foreign Ownership Case," https://www.fcc.gov/document/fcc-proposes-660k-fine-against-truphone-foreign-ownership-case（2022 年 9 月 24 日アクセス）

(27)　風間規男「行政統制理論の復権」『年報行政研究』第 1 巻第 30 号、1995 年、107-125 頁。

(28)　居石、前掲書、40-42 頁。

(29)　Bryan N. Tremont, "Too Much Power, Too Little Restraint: How the FCC Expands Its Reach Through Unenforceable and Unwieldy "Voluntary" Agreements," *Federal Communications Law Journal*, vol.53, no.1, 2000, pp.49-67.

(30)　Engelbrekt, A. B. "Copyright from an institutional perspective: Actors, interests, stakes and the logic of participation," *Review of Economic Research on Copyright Issues*, vol.4, no.2, 2007, pp. 65-97.

(31)　North, D. C. "Economic Performance Through Time," *The American Economic Review*, vol.84, no.3, 1994, pp.359-368.

（居石杏奈　慶應義塾大学大学院政策・メディア研究科後期博士課程）

《書評》

Alexandru Grigorescu, *The Ebb and Flow of Global Governance: Intergovernmentalism versus Nongovernmentalism in World Politics*（Cambridge University Press, 2020）

足立　研幾

　世界政府が存在しない国際社会において、グローバル・イシューの管理・運営をいかに行うのか。この問いは、グローバル・ガバナンス研究の中心命題である。国境を越えた相互作用が増大し続ける中にあって、各国政府が単独では十分に対応できないグローバル・イシューも増加の一途をたどっている。各国政府の協調によってこれらの問題の管理・運営を目指す国際行政連合や国際機関は、19 世紀後半以降盛んに形成されている。ただし、国境を超える問題への対応にあたって、各国政府間で利害調整を行うことは時として極めて困難である。グローバルな公共的利益と、各国の国益とが衝突することは少なくないからである。それゆえ、国益にとらわれることなく問題解決に当たることが可能となる非政府組織が中心となりグローバル・イシューに取り組むべき、という主張もしばしばなされる。事実、そうした非政府組織によるグローバル・イシュー解決に向けた取り組みの例も枚挙にいとまがない。

　グローバル・ガバナンスは、政府間協調によって行われるべきなのか（政府間主義）、非政府組織によって行われるべきなのか（非政府主義）。著者は、実際のグローバル・ガバナンスの取り組みは、こうした二項対立とはなっておらず、政府間主義と非政府主義を二つの極とする連続体の中に位置づけられるものであると強調する。そして、各グローバル・ガバナンスの試みが、政府間主義―非政府主義の連続体の中のどこに位置づけられるのかという点は、政策分野ごとに固定的なものなのではなく、時代とともに変遷するという。本書は、こうした主張を前面に押し出し、グローバル・ガバナンスのあり方が、政府間主義―非政府主義の連続体の中で、いかなるメカニズムで変化するのかを解き明かそうとするものである。

　本書では、グローバル・ガバナンスの試みの中でも特に長い歴史を持つ政策領域のうち、政府間主義が強かった公衆衛生、非政府主義が主流だった技術規格、そして、政府と非政府組織のハイブリッドでガバナンスが試みられてきた労働の３つをとり上げる。そして、それら政策領域における 19 世紀後半以降の 150 年に及ぶグローバル・ガバナンスの試みを、政府間主義―非政府主義の連続体の中に位置づけ、その変遷過程を丹念に追っている。著者はグローバル・ガバナンスを政府間主義によるものと非政府主義によるものの二者択一と捉える視点を強く批判しており、それが本書の出発点となっている。

　しかし、そのような捉え方をする人が今どれほどいるのかは疑問である。グローバル・ガバナンス委員会は、周知のとおり、グローバル・ガバナンスを「公的及び私的な個人や

組織が、共通の問題群を管理・運営する多くの方法の総体」と定義している。グローバル・ガバナンスは、そもそも政府と非政府組織が協調・分業し、グローバル・イシューに取り組む態様をとらえる概念として提示されてきた。ただし、政府間主義と非政府主義の二者択一としてグローバル・ガバナンスを捉える見方に対する著者の強烈な違和感は、実務経験に根差したものである。著者はルーマニア外務省員として国連代表部で勤務した後、1990年代に国連やその専門機関で経歴を積んでいる。1990年代は、まさに政府と非政府組織の協調によるグローバル・ガバナンスの必要性が唱えられ、またその中心に国連を位置付けようと盛んに試みられていた時期であった。先述のグローバル・ガバナンス委員会による報告書がまとめられたのは1995年である。

　本報告書自体は、実態分析というよりも、多分に規範的なものであった。それゆえ、1990年代当時、著者が国際機関の現場等で政府間主義―非政府主義の二項対立的発想をとる人々に数多く遭遇し、それに対して強い違和感をいだいたことは想像に難くない。人間の認識枠組みが容易に変化しないことを考えれば、こうした二項対立の思考様式にとらわれている人は依然少なくないのかもしれない。とはいえ、グローバル・ガバナンス委員会の報告書が刊行されてから既に四半世紀が経過している。グローバル・ガバナンス研究が盛んにおこなわれるようになった現在、政府間主義―非政府主義の二項対立的発想を批判することに、どこまで学術的意義があるのかはわからない。

　いずれにせよ、著者は、上記の問題意識を第1章で提示したのち、第2章で、特定分野におけるグローバル・ガバナンスのあり方の変遷メカニズムに関する仮説を提示する。その上で、第3、4、5章において、公衆衛生、労働、技術規格の各分野における150年に及ぶグローバル・ガバナンスの試みを分析している。第6章では、5章までの各政策分野のグローバル・ガバナンスのあり方の変遷の比較分析をとおして、政府間主義―非政府主義の連続体の中で、グローバル・ガバナンスのあり方がいかに変化するのかという点について議論の一般化を試みている。

　本書の特徴は、グローバル・ガバナンスのあり方の変化を、国内要因から説明しようとする点である。具体的に言うと、著者は、ある国の政府間主義―非政府主義に関する選好は、その国の政府が大きな政府を志向するのか否かという点と強い相関があると主張している。それゆえ、特定分野におけるグローバル・ガバナンスのあり方は、当該分野における主要国が大きな政府を志向するか否かによって決定づけられる（pp.30-33）。なぜ、ある国の政府が大きな政府を志向することが、当該政府がグローバル・ガバナンスにおいて政府間主義を志向することにつながるのであろうか。著者は、イデオロギーと国内制度の重要性を指摘する。すなわち、国内統治（governance）において大きな政府を志向するイデオロギーを有していると、グローバル・ガバナンスにおいても、政府が大きな役割を果たすことを好み政府間主義を志向するという。また、当該問題に対応する制度が国内的に整備されていれば、その政府は国際的にも政府間主義によって当該問題に取り組む制度的基盤を有することになる。それゆえ、当該政府は、政府間主義を選好するようになるという

のである。こうした発想のもと、著者は、ある問題におけるグローバル・ガバナンスのあり方は、政権交代等によって主要国内における大きな政府―小さな政府をめぐる選好が変化するか、当該問題における主要国が変化することによって変容するという仮説を提示している（pp.37-45）。

　第3、4、5章の事例分析では、意思決定、財政、審議の3つの側面について、政府間主義―非政府主義の連続体の中で、各政策分野のグローバル・ガバナンスのあり方がどう変遷してきたのかを分析している。事例分析の結果、公衆衛生、労働、技術規格、いずれの政策分野においても、グローバル・ガバナンスのあり方は、政府間主義に振れる時期も、非政府主義に振れる時期も、いずれも観察された。そうした変化と各政策分野の主要国の選好の変化の関係についても、全体的には仮説と整合的な結果となっている。各政策分野における主要国の選好の変化と一致した方向にグローバル・ガバナンスのあり方が変化したのは、全体では76％であった。また、財政、審議の面では、政府間主義―非政府主義の間でグローバル・ガバナンスのあり方がダイナミックに変化していたことが確認された。その一方で、意思決定面では、一貫して政府間主義が強かった。審議や財政面で非政府組織の役割を認める場合であっても、意思決定については政府間主義にとどめておこうとする傾向が確認されたのである。また、国内的選好変化の背景としては、イデオロギー、国内制度、いずれの影響も確認されたものの、国内制度から国内選好の変化が説明できることの方が多かったという（pp.200-212）。

　本書の貢献は、第一にグローバル・ガバナンスのあり方が、政府間主義―非政府主義の連続体の中に位置づけられるという視角を提示したことである。そして、本書では、各政策分野のグローバル・ガバナンスのあり方は、実際に政府間主義―非政府主義の間で揺れ動いてきたことが明らかにされた。第二に、政府間主義―非政府主義の連続体の中で、各政策分野のグローバル・ガバナンスがいかに変遷するのかという点は、国際システムレベルからではなく、むしろ当該分野における主要国の国内要因から説明できるという新たな視点を提示したことである。こうした視角や視点は、理論的にも、実務的にも、重要なインプリケーションを有するものである。

　近年、非政府主義の特徴が一貫して強まる傾向があるように評者には感じられる。この点は、本書が分析した3つの政策領域でも顕著である。1990年以降は、いずれの政策領域でも非政府主義が強まる結果が観察されている。これは、国内的なイデオロギーや制度の変化を反映しているというよりも、その背景にある非政府組織の能力向上というトレンドに影響されているものと思われる。実際、非政府組織の組織基盤はますます強化されてきているし、その情報収集・発信能力も向上し続けている。そうした中で、各国政府が、国内的にも、国際的にも、非政府組織に協力を仰ぐことが増加している。

　本書の分析結果は、主要国の国内要因の変化から、各政策分野におけるグローバル・ガバナンスの政府間主義―非政府主義の変遷が説明できるという仮説と整合的ではある。そして、著者は、システムレベルの説明よりも、国内要因からのほうがそうした変遷をうま

く説明できると主張している。しかし、各国内における政府間主義―非政府主義にかかわる要因自体が、上記のように非政府組織の能力向上に影響を受けているのだとすれば、国内要因自体は独立変数たり得ない。特定の政策領域における主要国の変化も、システムレベルの変化によって引き起こされることが多い。結局のところ、ある政策領域における主要国の変化も、主要国の国内におけるイデオロギーや制度の変化も、システムレベルの変化に影響を受けていることがほとんどかもしれない。そうだとするならば、主要国の国内要因は媒介変数として作用することはあっても、独立変数となっているとはいえない。本書は、グローバル・ガバナンスのあり方の変遷に対する主要国の国内要因に注目したという点で、斬新な視点を提供するものである。ただし、国内要因がいかに変化し、それがグローバル・ガバナンスのあり方の変遷にいかに作用するのかという点についてはさらなる検討が必要と思われる。また、そうした研究は、グローバル・ガバナンスの理論と実務にとって大いに示唆を与えるものとなるであろう。

（足立研幾　立命館大学国際関係学部教授）

《書評》

Kyoko Hatakeyama, *Japan's Evolving Security Policy: Militarisation within a Pacifist Tradition*, Abingdon: Routledge, 2021, xvi+178pp.

神田　豊隆

　冷戦終結後、日本の安全保障政策には大きな変化が現れた。1992 年の国連 PKO への参加を皮切りに、日本は自衛隊の国際的な活動範囲を徐々に拡大させ、2015 年に実現した安保法制では、限定的ながら集団的自衛権の行使を容認するに至った。経済的な手段に留まらず、軍事力を活用して国際安全保障に関与する機会を、日本は着実に増大させていったのである。このような変化は何を意味するのか。日本はいわゆる「普通の国」を目指しているのか、あるいは引き続き、憲法 9 条に象徴される「平和国家」としてのアイデンティティを守り続けるのか。そもそも、こうした変化をもたらした要因は何なのか。これらの問いは、本書の筆者のような理論的アプローチを専門とする研究者のみならず、評者のような戦後日本外交史の研究者にとっても、研究上の関心の根源に関わる重大な課題である。また、アカデミズムの主題を超えて広く社会的に議論されるべき問題でもあり、昨今の状況からすると緊急性の高い問題であるともいえる。本書はこうした極めて重要な主題を、適切に選択された事例の検討を通じて、緻密かつ明快に論じた好著である。

　本書は主として序章（Introduction）、第 1 部から第 4 部（Part 1-4）、結論（Conclusion）、との構成からなっている。序章および第 1 部（第 1 章〜第 2 章）では、本書が用いる基本的なアプローチや分析概念が説明される。本書は、安全保障論で支配的であった現実主義的分析手法を退けた上で、構成主義的アプローチを採用する。日本の安全保障政策は、各政党が有する観念の競合の結果として形成されるが、その際に政党間の政策論争は国内規範の枠組みの中に留まらず、国際規範の大きな影響を受けて展開される。ただし経路依存性や制度主義によって、政策転換にはしばしばタイムラグも生じる。より具体的には、本書は戦後日本の諸政党を「普通の国（normal state）」グループと「反軍事（anti-militarist）」グループに分ける。前者は自衛権の存在や自衛隊の保持を肯定し、それが憲法 9 条と両立するものと解釈する。冷戦期は自民党・公明党・民社党がその例であった。後者は、日米安保と自衛隊は憲法違反であると主張して、その廃棄を求める。冷戦期の社会党や共産党がそれに該当した。一方で国際的には、冷戦後、国際安全保障のために各国が軍事的貢献を果たさなければならないという規範が広く支持されるようになった。

　第 2 部から第 4 部は事例研究であり、いずれもこの主題を考える際に最も重要な具体的政策が選択されている。まず第 2 部（第 3 章〜第 4 章）では、武器輸出禁止政策とその冷戦後の転換が扱われる。武器輸出三原則は 1960 年代から佐藤栄作政権などによって表明されたが、これらは自民党政権の平和主義の表れというよりも、国会で一定の影響力を有

した社会党ら「反軍事」グループの圧力に対応するためであった。三原則は 2011 年に野田佳彦政権が緩和、2014 年に安倍晋三政権によって撤廃された。この転換は、主要国が国際安全保障においてより大きな役割を求められるようになったという国際規範の変化に対応するものでもあったが、野田政権の与党が民主党であったことも重要であった。民主党は政権政党として新しい存在であり、長年三原則を維持してきた自民党とは異なって、過去の声明や行動に拘束されることがなかったのである。また、武器輸出に反対してきた「反軍事」グループがその影響力を著しく低下させたことも、転換の背景となった。

　第 3 部（第 5 章～第 7 章）は、国連平和維持活動への自衛隊参加問題を検討している。冷戦期、日本政府は国連の安全保障活動に自衛隊を参加させなかった。とりわけ社会党ら左派が自衛隊の存在そのものに反対していたため、政府は政治的混乱の回避を優先したのである。他方で、1990 年代初頭の湾岸戦争を転機として、日本は国連平和維持活動への自衛隊参加を開始した。その転換の背景として重要であったのは、軍事的貢献をめぐる国際規範が日本の世論に受容されたことであった。その後 2010 年代に至るまで、日本は自衛隊の活動範囲を徐々に拡大させていったが、武器の不使用に関する国内規範は引き続き日本の安全保障政策を緩やかに拘束していった。

　第 4 部（第 8 章～第 9 章）は、1990 年代から 2000 年代にかけての対米軍事協力の拡大や、2015 年の安保法制について論じる。この時代、主要各国は国際社会への軍事的貢献が求められるようになり、日本もその例外たり得なかった。ただ、日本政府は自衛隊の行動をあくまで憲法の枠内に止まるものとし、その意味で国内規範との整合性を維持しようとした。また、この時期には「反軍事」グループの影響力は著しく低下し、日本の国会の大多数は「普通の国」グループが占めることとなった。もっとも後者も一枚岩というわけではなく、自民党が対米協力に焦点を合わせ、民主党が国連の下での安全保障協力を重視するといった相違はあった。

　結論部分では、特に、冷戦後の日本の安全保障政策の変化が単に対米協力の強化だけでなく、国連平和維持活動での役割拡大を伴っていたことは、本書のように国際規範の要因に注目することでしか説明できないことが強調される。そして、今後も日本は国際社会の一員としての行動に重きを置き続けるであろうが、軍事的役割を抑制しようとする国内規範も当面は堅持されるであろうとの見通しが示されて、本書の結びとなる。

　さて、本書の以上の議論に対して、いくつか敢えて疑問点を示してみたい。まず、冷戦期の自民党の外交路線に関する通説的理解をどう考えるのか、という点である。本書は、自民党の立場は冷戦期もポスト冷戦期も一貫して「普通の国（normal state）」を追求するものであったとし、また党内の諸勢力の間に外交路線の大きな相違があったとも捉えない。日本が冷戦期において国際安全保障への自衛隊の関与に消極的だったのは、自民党に内在的な理由ではなく、社会党ら革新勢力への妥協のためだったにすぎないとしている。

　しかしこの主張は、少なくとも一般的な理解とは大きく異なる。本書では、「吉田ドクトリン」という言葉自体が一度も出てこない。それはあるいは「吉田路線」「保守本流外交」

「九条・安保体制」「重商主義的現実主義（mercantile realism）」といった様々な異称もある
かもしれないが、いずれにせよ冷戦期の自民党主流が推進した路線として多くの研究者が
共有している理解は、経済成長を最優先事項とする一方で、軍事政策の推進については副
次的な位置付けを維持し、安全保障に関してアメリカに大きく依存することを躊躇しなかっ
た、というものである。特に重要なことは、軍事政策を抑制する憲法9条は、日米安保条
約とともにこの路線の制度的基盤であり、自民党主流の路線をむしろ支えるものであった
ということである。こうした理解は日本のみならず英語圏の学界でも一般的であるし、歴
史研究者だけでなく現状分析・理論研究者でも同様である。また、そうした路線に満足し
ていたのは自民党の中でも吉田茂に連なる保守本流に過ぎず、例えば岸信介などは日米の
対等を望んで改憲と再軍備を追求した、ともいわれる。

　もちろん、こうした通説的理解を受け入れなければならないということはない。吉田や
それ以後の指導者たちがどの程度主体的にそうした路線を追求していたのかなど、様々な
異論も既にある。だがいずれにせよ、こうした一般的な議論に対して、本書が少なくとも
どのような姿勢を取るのか、詳細な説明が必要であろう。

　また、以上の点にも関連するが、副題の表現を借りると、本書はポスト冷戦期の日本が
"militarization"を進めていった要因については説得的な分析をしているものの、日本の安全
保障政策が依然として"within a pacifist tradition"なのはなぜか、という極めて重要な問い
について、明確な答えを出していない。憲法規範を固守しようとするのが「反軍事」グルー
プのみであったとすれば、彼らの衰退は「平和主義の伝統」の消滅に繋がってもおかしく
ないはずであるが、事実はそうなっていないし、筆者自身、今後も当面はそうならないで
あろうと予測している。やはり、自民党の内部にも、戦後の「平和主義の伝統」から離れ
ようとしない傾向があるのだろう。だとすればその理由は何なのか。アメリカへの全面的
な同調を控えることで、「巻き込まれ」を回避したり、コストを下げることを図っているの
か。軍事政策を積極化することによるアジア諸国との摩擦を懸念しているのか。国内政治
的に転換は容易ではないという判断があるのか。保守勢力なりに戦前との決別に関して思
い入れがあるのか。あるいは何か別の理由があるのか。この「平和主義の伝統」の強靭さ
ないししぶとさの背景こそ、筆者に正面から深く論じてほしいところである。

　いずれにせよ本書は、冷戦後の日本の安全保障政策が少しずつ着実に変化していく過程
を緻密に跡付けた力作であり、分析枠組に合わせて安易な単純化をすることなく、複雑な
展開を丁寧に描写した読み応えのある書物である。特に、国内論争への内向きな視点で論
じられがちなこの主題を、国際規範の影響という広い視野をもって扱ったことは、本書の
魅力の一つである。また、この長期の過程の中で民主党政権の意義が小さくなかったこと
を明らかにした点も、今後民主党政権の歴史的評価を論じていく上で示唆が大きい。冒頭
で述べた点と合わせて、重要性の極めて高い著作であるといえる。

（神田豊隆　新潟大学法学部教授）

《書評》
筒井清輝著『人権と国家―理念の力と国際政治の現実』
（岩波書店、2022 年、252 頁）

菅原　絵美

　本書が冒頭で指摘するように、ここ数年で日本社会における人権への注目が高まり、さらにその注目はこれまでとは異なる形で現れている。例えば、ロシアによるウクライナ侵攻に関して、武力攻撃の被害や難民・避難民の発生はもちろん、ロシアでの／とのビジネスまでもが人権問題として取り上げられてきた。最近の国際情勢を考えても、本書が訴えるように、「人権力」、すなわち「国際人権の理念としての理想を大事にしながら、国際政治の現実を見極め、個々の人権問題に関して適切な判断を下して行動する能力」が、国家・企業・市民社会・メディア・大学・個人などあらゆる行動主体に必要とされているというのもうなずける。

　しかし関心の高まりに対して、人権、なかでも本書が焦点をあてる国際人権への理解が日本社会に広がっているかは悩ましい問題である。日本人が人権という用語から一般的に抱くイメージは「思いやり」や「優しさ」といった抽象的なものであることが多い。[1] したがって思いやりや優しさの欠如が差別を生むということになってしまい、自分はそうではないから関係ないと自分事にならなかったり、思いやりや優しさを持とうと問題がすり替わってしまったりする。人権への関心が高まる一方で、これまでのイメージとのギャップから、問題の正体や議論の焦点がわからないことに戸惑う声があがるのは抽象的な人権観に原因があるのではないだろうか。これに対し本書は、18 世紀から 2021 年末までの世界と日本における具体例を示しながら、国際人権をめぐる理念と政治が一進一退の攻防を繰り広げてきた歴史および国際人権の有する本当の影響力について語る一冊である。

　第 1 章は、18 世紀から 20 世紀半ばを通じて、国際人権を支える第一の柱である普遍性原理の発展を考察する。普遍的人権思想の根底にあるのは、経験を共有しない見知らぬ他者への共感（empathy）である。リン・ハントの業績から、啓蒙主義の時代の書簡体小説や政治的事件が階級や性別を超えた外集団への共感を可能にし、その共感が自律的な個人を大事にする人権理念を受け入れる土壌を生んだ。拷問反対運動の展開に見られるように、共感が社会運動となり社会規範や法制度を変えた過程を、著者は「その後の国際人権の発展の原型とも言えるモデル」であるとする。加えて奴隷貿易撤廃、女性や労働者の権利獲得といった社会運動の展開は経済構造の変化や帝国主義的利害の確保など政治的要因も背景にあったことが指摘される。この国際政治の視点から、普遍性原理の発展で重要なのは第二次世界大戦であり、連合国側の「人権と自由」という大義の必要性はその後の国連憲章、そして世界人権宣言につながり、戦後秩序の構築に大きな影響をもたらした。

　第 2 章は、1940 年代から 1980 年代を取り上げ、第二の柱である内政干渉肯定の原理が

「国家の計算違い」によって、すなわち「多くの行為主体が予測できなかった方向性で経路依存的に」確立したことを論じる。例えば、アジア・アフリカの新独立諸国は、国連でひとつの勢力となって民族自決権や人種平等を推し進め人権条約を定立・批准してきたが、なかには専制主義的な独裁体制となる国も少なくなく、条約上の監視システムが不都合となる頃には、無視することは許されなくなっていた。それは米ソ両陣営諸国も同様であり、国際人権は無視しうるという「冷戦下の政治的計算」による条約批准の拡大と米ソによる人権を掲げた体制批判により、意図せず国際人権の規範的地位が高まった結果、締約国はその義務と向き合わざるを得なくなった（空虚な約束のパラドックス）。このような「国家の計算違い」を受けて、1970年代には、国際NGOの活発化やヘルシンキ合意の締結、カーター米大統領の人権外交を背景に、国際人権システムを通じた干渉を国家が受け入れ始めたのである。

　第3章は、冷戦終結から現在までにおいて、国際人権システムは人権の実践の向上にどの程度貢献したかを、国際人権の実効性として考察する。まずは大規模な人権侵害の場合が検証される。冷戦終結により国際人権が進むかと期待されたが、旧ユーゴとルワンダでの失敗、コソボや東ティモールでの一定の成果、9・11テロ以後の米国による人権実践の後退、国際刑事裁判所の発足、「保護する責任」の登場など、実際は「国際政治の現実が人権理念の実現を困難に」する一進一退を繰り返す状況であり、これが現在のロシアによるウクライナ侵攻まで続いている。しかし国際人権に実効性がなかったのではなく、著者はその効果は「日常に根差した、長期間にわたって制度化された人権侵害の改善」に現れるとする。なぜならば、国際人権の規範的な影響力は「人々の人権に対する考え方を変える力」にあるからである。なお、ローカルな状況に文化相対主義に陥らないよう向き合う必要があるなかで、特に発展途上国の経済状況は無視できず、このような経済に関する人権問題から企業の人権尊重責任への関心が高まってきた。

　第4章は、日本が国際人権とのように関わりあってきたのかを検討する。人権運動では、近現代日本から振り返りつつも、アイヌ民族の先住権獲得運動および在日コリアンの指紋押捺拒否運動に焦点があてられ、普遍性を掲げた国際人権によりマイノリティの権利意識や社会運動における行為主体の考え方（movement actorhood）が変化し、その結果、国際人権システムを活用しながら政府に対応を促し人権実践の向上につながった。人権外交に関連して、日本政府は、戦後一貫して「対話と協力を主眼とする独自の関与（engagement）路線」をとってきたが、安倍政権以降は、自由、人権、民主主義、法の支配といったリベラルな価値観による外交（価値観外交）を進めてきた。これを真の人権外交に展開するには、国際人権規範を理解し、国内外の人権問題に適切に対応していかなければならない。国家・企業・市民社会・メディア・大学・個人などあらゆる行動主体が「人権力」を身につけ、それにより世界の先頭に立ち、国際人権の発展に貢献することがこれからの日本の指針の一つとなる。

　このように国際人権が有する二つの特徴である普遍性と内政干渉肯定の原理とともに、

国際人権が有する「人々の考えを変える力」が明らかにされる。本書は第44回サントリー学芸賞（思想・歴史部門）および第43回石橋湛山賞を受賞しており、国際人権の性質として当然の前提とされてきた普遍性と国際関心事項であることを、歴史と国際政治から解き明かした点は高く評価されている。また国際人権の影響力の議論は、著者が2018年著書⁽²⁾で明らかにした国際人権のトランスフォーマティブな効果、すなわち社会運動に際しての行為主体の考え方そのもの（movement actorhood）の形成および再構築につながっている。

　一方、評者の専門とする国際人権法の視点からみると、本書でいう「国際人権」とは何であるのかという疑問が残る。その内容は、文脈に応じて、国際人権基準（宣言や条約で規定された人権）であったり、国際人権機構と実現方法（手続・審査等）など国際人権システムであったりする⁽³⁾。例えば、国際人権の普遍性として焦点が当たるのは国際人権基準である一方、国際人権の実効性で議論されるのは国際人権システムである。また、内政干渉肯定の原理は国際人権システムを前提としており、その枠外で行われる人権外交等では肯定の程度は弱くなるだろう。このように国際人権基準とシステムの区別は国際人権をめぐる議論のさらなる解明につながる。加えて、著者の主張する「理念の力」の意義を深めることにもなる。例えば、本書でも取り上げられる「ビジネスと人権」の議論では、企業は国際人権基準を尊重する責任を負うとされる。国際人権システムで主に問われるのは国家の義務だが、国際人権基準は国家だけでなく、国際機関、企業や市民社会にも通用する「国際的に認められた人権」であるとの認識が共有されてきた。ここに国際人権基準の有する「理念の力」、「人々の人権に関する考え方を変える力」が見い出される。

　さらに、国際人権を国際人権基準として具体的にとらえることは「人権力」に不可欠である。世界人権宣言をはじめ、社会権規約および自由権規約などの人権条約では、生命や身体の安全への権利や思想信条の自由、健康への権利、先住民族が有する土地への権利などが規定されている。これら諸条約の起草やその後の実施の過程をたどれば、理念だけでなく、本書が重視する国際政治の現実も見えてくる。また、私たちが適切に判断し行動するための現状把握は国際人権の具体的な理解が前提となる。日本の現状として、アイヌ民族の先住民族性が認められ文化の尊重が進む一方で土地利用権が認められず、在日コリアンに対してはその生命・身体の安全への権利に関わるヘイトクライムが続いているなどの深刻な課題がある。さらに国際人権はSDGsの達成など持続可能な社会の実現の大前提となっており、この点からも本書は時宜を得た著作である。国家・企業・市民社会・メディア・大学・個人などあらゆる行為主体に国際人権基準に立った「人権力」が期待されている。

【注】
（1）　阿久澤麻理子「日本の人権教育・啓発に求められる視点」『人権政策学のすすめ』（江橋崇・山崎公士編著、学陽書房、2003年）、187-199頁。
（2）　Kiyoteru Tsutsui, Rights Make Might: Global Human Rights and Minority Social Movements in

Japan (Oxford University Press, 2018), pp.10-20.

（3） 国際人権基準とシステム（機構と実現方法）は区別され論じられている。申惠丰『国際人権入門─現場から考える』（岩波書店、2020 年）、1-38 頁；川島聡・菅原絵美・山崎公士『国際人権法の考え方』（法律文化社、2021 年）、1-4 頁。

（菅原絵美　大阪経済法科大学国際学部教授）

《書評》

佐藤史郎著
『核と被爆者の国際政治学—核兵器の非人道性と安全保障のはざまで』
（明石書店、2022 年、197 頁）

千知岩　正継

マンハッタン計画（1942～45 年）で指導的役割を果たしたことから「原爆の父」として知られる理論物理学者ロバート・オッペンハイマーはかつて、核兵器を突きつけ合って対峙する米ソ両国を「壺の中の二匹のサソリ」に例えたことがある。周知のように、現在、核保有国を意味するサソリは 9 匹を数える。くわえて、致死性の猛毒、つまり核兵器はその破壊力も増大した。もちろん、核武装した 9 カ国すべてが敵対関係にあるわけではないし、世界の核弾頭総数は最盛期に比べて減少している。それに、核不拡散条約（NPT）体制は今なお存続し、2021 年 1 月には核兵器禁止条約（TPNW）が発効したばかりだ。

とはいえ、である。たとえ局地的・限定的であっても 1 カ国がひとたび核兵器を使用すれば、たちまち連鎖的な核兵器使用につながり、人類と文明が突然に終末を迎えることになるかもしれない。作家の池澤夏樹が指摘するように、「核戦争に対して地球は、われわれの世界は、充分に大きくはないのである」。しかも、昨今の国際関係を眺めると、そのような事態の蓋然性に危惧せざるをえなくなる。北朝鮮やイランの核開発問題もさることながら、とくに米ロ対立や米中対立などの、核兵器を大量に保有する大国間の対立が再燃している状況は深刻と言わざるをえない。実際、2022 年 2 月 24 日に隣国ウクライナへの武力侵攻を開始したロシアが核兵器使用の恫喝をするにいたった。要するに、核兵器の脅威は減退するどころか増大しているのが今日の現実だろう。現在の核兵器が絡む危機的状況に向き合い、それでいて、この状況から脱出する術を探る手掛かりはどこにあるだろうか。

この点に関して参照すべき文献に事欠くことはない中で、本書をとりあげるのは、既存の類書にはない優れた点が認められるからである。それはすなわち、従来は社会学で扱われてきた広島・長崎の被爆者を国際政治学の俎上に載せたうえで、核兵器の非人道性に関する被爆者の語りが国際政治にどのような影響を与えるのかを考究しようと試みた点である。本書の被爆者重視の姿勢は、原爆炸裂直後の長崎の惨状を描写した永井隆『長崎の鐘』からの引用でもって始まることからもうかがえよう。

本書の構成についていえば、序章と終章に挟まれた六つの章を二章ずつ三部に分ける形式をとっている。なお、終章において各章の要旨が順序だてて手際よく示されているため、ここでは各部の概略を紹介するにとどめたい。まず序章では、本書全体を貫く問いと著者独自の立場である「理想主義的現実主義」が詳述される。これをふまえて第Ⅰ部（第 1、2 章）は、国際政治における倫理の余地が狭いことを確認したうえで、核兵器の実戦使用と威嚇使用の道義性を正戦論・義務論・帰結主義の三つの観点から問う。第Ⅱ部（第 3、4

82

章）では、「核禁忌」論と核抑止論の限界を指摘し、核兵器廃絶のアプローチの重要性を説く。さらに、被爆者が核兵器の非人道性を「語る」ことの意義と課題を一種のアポリア（ジレンマやパラドクスなどの解決困難な問題）として浮き彫りにする。つまり、核兵器の悲惨さを訴える被爆者の声は、核兵器使用に対する規範的抑制の強化に寄与する反面、国家安全保障の観点から核抑止と核武装を正当化する根拠に利用される場合がある、という逆説状況をもたらしている。引き続き被爆者に焦点を当てる第Ⅲ部（第5、6章）において、著者は「多様性」と「時間性」の観点から、社会で一般的に抱かれている一枚岩的な被爆者イメージを解体していく。そこから浮かび上がるのは、原爆体験を国内外で「語る」被爆者や罪悪感・トラウマ・差別ゆえに「語らない／語れない」被爆者、著名な被爆者、存在が忘れられた被爆者など、様々な被爆者の姿とそれぞれに固有の苦しみである。くわえて著者は、声を上げられない被爆者の存在自体も核兵器の非人道性を物語っている点に読者の注意を促がす。そして終章は、脱主権国家に基づく安全保障の方式、被爆者にまつわるアポリアなど、今後の研究課題を六点提示し、本書を締めくくる。

　以上が本書の概要である。著者は各部・各章で持論を構築するあたり、核兵器関連の先行研究だけでなく、国際関係理論や国際（グローバル）倫理学、広島・長崎の被爆者に関する社会学分野の研究も渉猟し、アポリアや「未来志向型と過去試行型の回帰的時間」といった概念的な道具立ても駆使している。また、どの章も周到な論理で議論が進んでいくため、読み応えがある。もっとも、洗練された各論以上に重要なのは、本書で著者が読者に最も伝えたい基本的なメッセージであろう。それは次のように要約できる。すなわち、大国や核兵器が幅を利かせる国際政治の「現実」があるにしても、核兵器の非人道性や核兵器廃絶を訴える被爆者の語りは、核兵器使用に対する規範的抑制を生み出し、国際政治の「現実」を核なき世界という「理想」へ変えていく可能性を秘めているからこそ、わたしたちは「被爆者による核兵器の非人道性語りを記憶・継承していく必要がある」、と（本書、175頁）。著者の主張に評者も強く賛同したい。

　これを前提とし、核兵器に関する帰結主義の立場について本書の議論に若干の補足をしておきたい。帰結主義に注目するのは、「理想主義 対 現実主義」の二項対立を乗り越えようとする本書のアプローチ、理想主義的現実主義にとって示唆するところが大きいと考えるからだ。第二章で詳しく説明されているように、大多数の帰結主義者にしてみれば、核兵器による威嚇は、核保有国間の戦争防止や国家安全保障に寄与するという「結果」をもたらす限りでは道徳的に正当化される。その意味で、帰結主義は核兵器の存在を威嚇の機能に限って容認している。ここで「大多数の」と強調しておいたのは、核兵器の存在を絶対否定する帰結主義的な議論が皆無というわけではないからだ。そのような例外として、功利者主義者として著名な政治哲学者ロバート・E・グッディンを召喚しよう。

　グッディンは1985年に二本の論稿を発表し、徹底した帰結主義の立場から、全面的な核の先制使用だけでなく、核攻撃に対する報復目的をも含めた、あらゆる形態の核兵器使用に反対の論陣を張った。(3) すなわち、核兵器使用によって影響を受ける万人の利益を公平

に考慮するなら、利得が損失を上回るという道徳的に望ましい結果が核兵器使用から得られるとは到底期待できない、というのである。グッディンによると、核兵器を抑止の手段に用いることも正当化できない。核兵器があるかぎり、実際に使用されるという受容不可能なリスクをともなうからである。要するに、核兵器で武装することは道徳的に全く意味がない。したがって、核戦争のリスクを排除するには全ての核保有国による核軍縮しかなく、そして必要であれば核保有国は他国の動向に関わらず一方的な核軍縮を進めるべきだ、ということが結論になる。もちろん、核兵器を放棄しない国家が非核兵器国を脅迫したり征服したりするリスクはある。しかし、グッディンにいわせれば、そうした稀なリスクが現実のものになったとしても、核戦争によるホローコーストや人類絶滅のほうが回避すべき最悪の結果なのだ。

　実をいうと、こうした帰結主義の発想は、核兵器全廃を追求する TPNW の基礎にある「人道的アプローチ」と通底するものである。人道的アプローチとは、個々の人間や人類、自然環境に対する核兵器使用の修復不可能かつ重大な結果を強調して核兵器廃絶を目指す方針である。(4)このアプローチについては、国家安全保障を重視する現実主義者や戦略家であれば、理想主義的にすぎるとして一笑に付すかもしれない。しかしながら、グッディンの議論にせよ人道的アプローチにせよ、実戦や威嚇での核兵器の使用の結果を、特定国家の存続ではなく、人類全体の存続というコスモポリタンな視点で判断することの必要性を説く点で、核時代の危うい「現実」を直視したものとなっている。これに関連して、核兵器を人類の存続に対する脅威とみなして人類の安全を確保しなければならないとする見解が、ハンス・J・モーゲンソーやジョン・ハーツといった古典的現実主義者にも共有されていた点を想起しておきたい。とりわけハーツは、国益重視の集団主義的論理に対して、人類全体の利益や将来世代の利益を考慮する普遍主義的倫理の到来を肯定的に論じている。(5)こうみてくると、人類全体の安全に視野を拡張するコスモポリタンな帰結主義は本書の理想主義的現実主義のアプローチにとって不可欠の要素になると考えられるが、どうだろうか。

　最後に改めて強調しておくと、本書は「核と被爆者の国際政治学」を切り拓こうとする意欲作である。核兵器の脅威が高まる情勢下において、核時代の原点である広島・長崎に立ち戻って被爆者による核兵器の非人道性の語りを国際政治（学）に位置づける本書が出版されたことの意義は非常に大きいと思われる。

【注】

（ 1 ）　J. Robert Oppenheimer, "Atomic Weapons and American Policy." *Foreign Affairs*, Vol.31, No.4, 1953, p.525.

（ 2 ）　池澤夏樹『楽しい終末』（中央公論社、2012 年）、26 頁。

（ 3 ）　Robert E. Goodin, "Disarming Nuclear Apologists." *Inquiry*, Vol.28, No.1-4, 1985, pp.153-176; "Nuclear Disarmament as a Moral Certainty." *Ethics*, Vol.95, No.3, 1985, pp.641-658.

（ 4 ）　Rebecca Davis Gibbons, "The Humanitarian Turn in Nuclear Disarmament and the Treaty on the Prohibition of Nuclear Weapons." *The Nonproliferation Review*, Vol.25, No.1-2, 2018,

84

    pp.11-36.

（5）　John Herz, "Technology, Ethics, and International Relations." *Social Research*, Vol.43, No.1, 1976, pp. 98-113.

（千知岩正継　宮崎産業経営大学法学部准教授）

<<English Summary>>
Japanese Government's Policy on Economic Security

Shigeki Takizaki*

Economic security is a relatively new concept but often discussed these days. The author of this paper was involved as deputy head of the National Security Secretariat in drafting the economic security policy of Government of Japan (GOJ) until September 2022. The paper, first, introduces why it has become important these days and basic principles of GOJ's policy, namely to enhance Japan's self-reliance, to secure advantage and indispensability concerning its technologies and others and to maintain and strengthen international order based on basic values and rules.

It also introduces measures which GOJ has taken and the summary of Economic Security Promotion Act passed by the parliament in May, 2022. The Act has four pillars such as to strengthen supply chain resilience, to secure safety and reliability of critical infrastructure (measures for cybersecurity), to establish a framework of cooperation among industry, the government and academia to develop advanced critical technologies and to establish a patent application non-disclosure system. In addition, it discusses importance of close cooperation and smooth coordination with the private sector so that the relevant policies may be efficient and effective and may lessen a negative impact on the freedom of economic activities.

The paper, then, touches upon how GOJ should deal with new challenges in economic security in the near future since the Economic Security Promotion Act is only the first step in this field and GOJ has to constantly take new measures in the changing world. First, it is important to clearly refer to economic security in the "National Security Strategy" to be drafted toward the end of 2022. Other challenges are to promote capital reinforcement of private enterprises with critical goods technologies, to support the development of cloud technologies and to bolster information security including security clearance.

Finally, it considers whether GOJ's economic security policy will change its basic foreign policy such as to strengthen Japan-US security alliance, to develop good relations with neighbouring countries including ASEAN countries and to pursue economic interests. It argues that its basic foreign policy won't be changed by its economic security policy but it will incorporate the elements of its economic security policy.

*Shigeki Takizaki is a Chief Negotiator of TPP Headquarters, Cabinet Secretariat, Japan.

The Economic Security Promotion Law in Japan's Grand Strategy

Tsuyoshi Kawasaki*

The Kishida government has recently introduced the Economic Security Promotion Law, the first systematic attempt to enhance Japan's economic security in the context of the ongoing power struggle between the Western camp Japan belongs to on the one hand, and the revisionist camp led by China and Russia on the other. Preliminary assessments have ensued from the perspective of Japan's private sector. Yet, we still lack a systematic and theory-informed academic analysis of the Promotion Law, accompanied by the articulation of policy implications, from the perspective of international politics. The present article attempts to fill this void. From a realist perspective, it specifically asks the following research question: Where does the Promotion Law fit in Japan's grand strategy to help the Western camp to defend the liberal international order against the revisionist camp? The article advances three arguments in answering the question. First, the Promotion Law is defensive in nature in the context of the ongoing power struggle between the two competing camps. It is designed to enhance Japan's technological capabilities while reducing economic vulnerability against cyber attacks and other threats in the areas of supply chains, critical infrastructure, and intellectual property. Second, the Promotion Law, while important in its own right, covers only some portions of Japan's policy system for economic security. Third and the most important, in order for the Promotion Law to be operationalized effectively and efficiently as a part of Japan's grand strategy, the Japanese government will have to manage policy coordination successfully, both within Japan and with its Western partners. This task poses a considerable challenge to the Japanese government in years to come in light of the inherent complexities in domestic and intra-camp policy coordination. The article first reviews the Promotion Law, followed by the theoretical section that clarifies the purpose and nature of Japan's grand strategy in the context of the inter-camp power struggle. We will then situate the Promotion Law in the theoretical framework to deduce the three arguments noted above, followed by a preliminary assessment on the current state of policy coordination. The article will conclude with further reflections.

*Tsuyoshi Kawasaki is a Professor, Political Science Department, Simon Fraser University.

Japan's Cybersecurity Policy within Economic Security Discussion: The U.S. – China Confrontation and Two Cybersecurity Issues as Key Drivers

Takahisa Kawaguchi*

Tokyo's cybersecurity policy has made great strides, within the economic security discussion in Japan, in the fields of core infrastructure supply chain and protection of confidential information. The Economic Security Promotion Act (ESPA) of Japan, enacted in May 2022, consists of four pillars including "ensuring the safety and reliability of the Core Infrastructure" which is to enhance cybersecurity. The ESPA requires the Core Infrastructure operators with specific conditions to go through preliminary government review when procuring critical equipment, software, or services to prevent external cyber risks. In addition, the National Police Agency and the Public Security Intelligence Agency strengthens their system for economic security issues and encourages private companies and research institutes to enhance their cybersecurity to prevent confidential data and information leakage.

The intensifying U.S.-China conflict are fueling such debate on economic security as well as cybersecurity policy in Japan. From Washington's view, cyber confrontation between the two powers that emerged since the 2010's means (1) Beijing's cyberattacks against private companies aiming to gain commercial advantages, and (2) Beijing's cyberattacks via Chinese tech companies. More specifically, the former is cyber espionage by "Advanced Persistent Threats (APTs)" that are believed to be linked with the Chinese government, and the latter involves the risk of implanting Chinese telecommunications equipment under Beijing's control or influence, into the U.S. government procurement and critical infrastructure. As similar concerns spread in Japan, countermeasures against the high-end cyber espionage with economic ambitions and external cyber risks embedded in core infrastructure have been developed in response to the two cybersecurity issues.

*Takahisa Kawaguchi is a Principal Researcher of Tokio Marine dR.

The Challenge to Global Governance Regarding Foreign Investment in the Telecommunications Industry: The Evolution of Team Telecom and CFIUS Investment Review in the US

Anna Oriishi*

This paper reveals the strategic nature of US efforts to counter the global international trade regime through the coexistence of multiple regulations and a high degree of governance within the country. The issue of foreign entities controlling telecommunications businesses is a global problem that has sparked intergovernmental discussions. Acquisitions and mergers in the telecommunications sector have occurred in cases where a single company has become embroiled in international political conflicts. In the US, which has led the way in government intervention in foreign investment, not only the Committee on Foreign Investment in the United States (CFIUS) but also an informal group called "Team Telecom" conducted security reviews of telecommunications carriers' acquisition cases in terms of telecommunications license transfers. Although Executive Order 13913 formalized Team Telecom and clarified its review in April 2020, the relationship between CFIUS and Team Telecom concerning their dual review of acquisitions and mergers has been questioned yet not fully clarified in previous studies. Accordingly, this paper analyzes Team Telecom's acquisition review data from past decades while also considering the relationship with CFIUS. As a result, the analysis showed that Team Telecom had its origins in actions taken by security agencies to supplement CFIUS review with license review. When CFIUS was reformed by the Foreign Investment and National Security Act of 2007 (FINSA), security agencies established their own review as Team Telecom and began coordinating with CFIUS. The dual review by CFIUS and Team Telecom allowed for a highly unpredictable and sophisticated operation in which a security agency could choose which organization would lead the examination, not only in terms of content but also in light of its impact on internal and external politics. We show that the formalization of Team Telecom in 2020, which was considered simultaneous with the Foreign Investment Risk Review Modernization Act (FIRRMA) to further reform CFIUS, not only enhanced cooperation between CFIUS and Team Telecom but also encouraged aggressive license review by Team Telecom and the FCC. By making Team Telecom formalize while remaining outside the substantive jurisdiction of the judicial and legislative branches, a new mechanism for cross-agency foreign investment review is being implemented in ways we may not know.

*Anna Oriishi is a doctoral candidate at the Graduate School of Media and Governance, Keio University.

グローバル・ガバナンス学会
『グローバル・ガバナンス』投稿規程・執筆要領

1. 刊行時期
（1）　本学会誌『グローバル・ガバナンス』（*The Study of Global Governance*）は年一度刊行される。刊行時期は、原則として3月とする。
（2）　『グローバル・ガバナンス』は、ウェブ上でも公開される。公開時期は、原則としてその刊行時から1年後とする。

2. 投稿資格
（1）　『グローバル・ガバナンス』に投稿できるのは、本学会の会員に限られる。これは、原則として著者が複数に跨がる場合も同様である。非会員は、投稿時に合わせて入会申請を行うことで、投稿が受理される。
（2）　「論文」（後述）が掲載された会員は、掲載された号の刊行年月から起算して1年間は、「論文」を投稿することができない。

3. 掲載原稿の種類と使用言語
（1）　『グローバル・ガバナンス』に掲載される原稿は、「論文」、「書評」、「書評論文」、「その他」の4種類とする。
・「論文」とは、査読付きの論文を指す（「書評」、「書評論文」、「その他」に該当する原稿は査読の対象とせず、編集委員会でその採否を決定する。査読制については、6を参照のこと）。
・「書評」とは、単一の著書・編著を取り上げた批評文を指す。会員の著書・編著を含め、広く内外の書籍を対象とし、編集委員会が評者（非会員を含む）を選定して、執筆を依頼する。
・「書評論文」とは、関連性のある複数の著書・編著を取り上げ、その全体もしくは主要な主張を総合的に批評する論文を指す。会員の著書・編著を含め、広く内外の書籍を対象とする。
・「その他」とは、上記3種類に該当しない原稿を指す。例えば、「研究ノート」がこれに該当する。
（2）　「論文」、「書評論文」、「その他」に投稿する会員は、投稿に際して原稿の種類を明示する。
（3）　原稿は、グローバル・ガバナンスに関わる広範な分野、テーマを扱うもので、未発表のものに限られる。既に発表された原稿と論旨において変わらない原稿については、たとえ使用言語が異なるものであったとしても、既に発表された原稿と見なし、受理しない。報告論文については発表済みとはみなさないが、関係を明らかにするために、

適切な引用を行い、関連する論文を添えて投稿を可とする。ただし報告論文であっても査読を経て公表されたものについては発表済みとみなす。

（4）　使用言語は、日本語もしくは英語とする。英文原稿を提出する場合には、投稿者は、自己の責任において、ネイティブ・スピーカーなどによる校閲を済ませておく。

4.　著作権

（1）　『グローバル・ガバナンス』に掲載された原稿の著作権は、すべてグローバル・ガバナンス学会に帰属する。

（2）　原著者が、『グローバル・ガバナンス』に掲載された原稿の一部もしくはすべてを、論文集などへの再録というかたちで利用しようとする場合には、編集委員会を通して、あらかじめ文書で会長に申し出る。とりたてて不都合がないかぎり、会長は申し出を受理し、再録を許可する。

5.　執筆上の注意
5－1　一般的注意点

（1）　原稿は、横書きの日本語もしくは英語とする。作成に際しては、ワープロ・ソフトを使用する。

（2）　原稿の制限字数は以下の通りである（注や参考文献リスト、図表も含む）。スペース部分もすべて字数に含まれる。
- ・論　　文：日本語　20,000 字以内（ただし、英文サマリーの字数は、これに含めない）
　　　　　　　英　語　7,000 words 以内（同上）
- ・書　　評：日本語　4,000 字以内
　　　　　　　英　語　1,500 words 以内
- ・書評論文：日本語　10,000 字以内
　　　　　　　英　語　3,500 words 以内
- ・そ の 他：日本語　15,000 字以内（同上）
　　　　　　　英　語　5,000 words 以内（同上）

（3）　注や参考文献リストに記載された外国語表記、すなわち、日本語、中国語、韓国／朝鮮語以外の表記については、半角英数2文字を1文字分として換算する。

（4）　図表は、刷り上がり 1/2 ページ大の場合は約 750 字（250 words）、刷り上がり 1/4 ページ大の場合は約 380 字（130 words）分として換算する。なお、図表のサイズと配置については、編集委員会が最終的に判断する。

（5）　印刷会社で使用できるフォントには制約があるため、特殊な文字や記号を使用して原稿を作成する場合には、作成前に編集委員会に連絡する。

（6）　「論文」には英文サマリーを付ける（「書評」、「書評論文」、「その他」には英文サマリーを付けない）。その字数は 300 words 以上、400 words 以内とし、「論文」の表題

と所属・職位、氏名を英語で明記する（表題と所属・職位、氏名は字数に含めない）。また投稿者は、英語のキーワードを５つまで記載すること。さらに投稿者は、英文サマリーを提出する前に、自己の責任において、ネイティブ・スピーカーなどによる校閲を済ませておく。

（７）　投稿論文には、審査の公平を期すために執筆者の名前は一切記入せず、「拙著」など著者が識別されうるような表現は控える。本文や注の中で執筆者自身の文献についても第三者による文献と同様に表記する。

5－2　用語法について

（１）　日本語の原稿で使用できる字体は新字体とし、現代仮名遣いを用いる。ただし、歴史的資料などからの直接引用の場合はその限りではない。

（２）　年号は、原則として西暦を用いる。歴史論文などで元号を用いる場合には、歴史的資料などからの直接引用の場合は除き、丸括弧を付けて西暦を付記する。

（３）　日本語の原稿で使用できる括弧は全角とする。ただし、注や参考文献リストで、日本語、中国語、韓国／朝鮮語以外の引用・参照文献を示した箇所については全角の括弧を使用せず、半角の括弧を使用する。また、英語の原稿で使用できる括弧は半角とする。

（４）　日本語の原稿で使用できる句読点は「。」「、」とする。ただし、注や参考文献リストで、日本語、中国語、韓国／朝鮮語以外の引用・参照文献を示した箇所についてはその限りではない。

（５）　漢字名の場合を除き、外国人の名はカタカナ表記とする。初出の箇所に丸括弧を付け、原名もしくは欧文原音を付記する。

（６）　カタカナの「ヴ」表記は、固有名詞に限ってその使用を認める。普通名詞に対しては用いない。

（７）　数字は算用数字で表記し、２桁以上である場合には半角で入力する（１桁である場合には、全角で表記する）。ただし、例えば、以下に記した語句の場合には、漢数字で表記する。「第一に」「第二に」「第一次」「第二次」「逐一」「一方的」「数十年」「一概に」など。

（８）　NATO や EU などの略語に関しては、すべて半角を用いる。スペルアウトの場合も同様とする。

（９）　上記以外のケースを含め、表記にずれが生じた場合には、編集委員会の裁量で表記を統一することがある。

5－3　表題・所属・氏名について

（１）　「論文」、「書評」、「その他」の場合には、原稿の冒頭に、表題、所属・職位、氏名を日本語で明記する。英文原稿の場合には、英語で明記する。

（2）　「書評論文」の場合には、原稿の冒頭に表題を記したうえで、対象とした著書・編著を列挙し、評者の所属・職位、氏名を日本語で明記する。英文原稿の場合には、すべて英語表記で行う。なお、対象とした著書・編著については、日本語、中国語、韓国／朝鮮語で書かれた著書・編著の場合には、以下の例を参考に、著者（編著者）名、（訳者名）、『書名』、出版社名、出版年、総頁数の順に記載する。また、日本語、中国語、韓国／朝鮮語以外の表記で書かれた著書・編著の場合には、書名をイタリックで表記したうえで、以下の例を参考に、著者（編著者）名、書名、出版地名（一つに限る）、出版社名、出版年、総頁数の順に記載する。

　　　（例）　和書：ハンナ・アレント（志水速雄訳）『人間の条件』（筑摩書房、1994 年、549 頁）

　　　（例）　洋書：Ernesto Laclau, *New Reflections on the Revolution of Our Time* (London: Verso, 1990, xvi+263 pp.)

5－4　目次と章立てについて

（1）　目次は記載しない。

（2）　章立ては自由とするが、原則として、本文の冒頭と末尾に「はじめに」（「序」）と「おわりに」（「結論」「むすび」など）を付す。

（3）　編別は、節、項、小項の順とするが、項や小項は立てなくてもよい。ただし、節、項、小項のそれぞれに当てる数字等は、順に、1.（1）a の要領で行う。なお、「はじめに」と「おわりに」には節番号を付さない。

5－5　注と参考文献リストの表記について

（1）　注はすべて、原稿の末尾に一括して掲載する。

（2）　注の番号は通し番号とし、該当箇所に入れる。句読点がある箇所に注番号を付す場合には、句読点の直前に入れる。

（3）　注の番号は算用数字で表し、全角の丸括弧で囲む。1 桁の場合は全角で、2 桁以上の場合は半角
で数字を記す。ワードの注作成機能を使用してもよい。

（4）　注や参考文献リストでの引用・参照文献の示し方は、以下の通りとする。

　　　①　日本語、中国語、韓国／朝鮮語のいずれかで書かれた著書・編著、新聞、雑誌の場合：

　　　　　原則として、その書誌（紙）名を『　』（二重鍵括弧）で括ったうえで、著者名（訳者名）、書誌（紙）名、出版社名、出版年の順に記載する。また、必要に応じて、引用・参照箇所の頁数も示す。

　　　（例）　J・A・シュンペーター（中山伊知郎・東畑精一訳）『資本主義・社会主義・民主主義』（東洋経済新報社、1995 年）、5 頁。

（例）　栗田賢三・古在由重編『岩波哲学小辞典』（岩波書店、1958 年）、10-12 頁。

（例）　『毎日新聞』2015 年 4 月 30 日朝刊「社説」

② 　日本語、中国語、韓国／朝鮮語のいずれかで書かれた論文の場合：

原則として、論文の表題を「　」（鍵括弧）で括ったうえで、著者名、表題、掲載誌（書）名、巻・号、出版社名、発行年の順に記載する。また、必要に応じて、引用・参照箇所の頁数も示す。

（例）　坂本彦太郎「『コミュニティ』の意味について」『社会と学校』第 2 巻第 11 号、1948 年、42-43 頁。

（例）　和辻哲郎「人間の学としての倫理学」安倍能成ほか編『和辻哲郎全集　第 9 巻』（岩波書店、1962 年）、18-19 頁。

③ 　上記①以外の言語で書かれた著書・編著、新聞、雑誌の場合：

原則として、その書誌（紙）名をイタリックで表記したうえで、著者名、書誌（紙）名、発行地名（一つに限る）、出版社名、出版年の順に記載する。また、必要に応じて、引用・参照箇所の頁数も示す。

（例）　Ole R. Holsti, Randolph M.Siverson, Alexander L.George, eds., *Change in the International System* (Boulder: Westview Press, 1980).

（例）　Robert Gilpin, *U.S. Power and the Multinational Corporation: The Political Economy of Foreign Direct Investment* (New York: Basic Books, 1975), pp. 21-22. 山崎清訳『多国籍企業没落論―アメリカの世紀は終わったか』（ダイヤモンド社、1977 年）、19-20 頁。

（例）　" Cover Stories: India 's Night of Death, " *Time: The Weekly Newsmagazine*, December 17, 1984, pp. 8-15.

④ 　上記②以外の言語で書かれた論文の場合：

原則として、論文の表題をダブル・クォーテーション・マークで括り、掲載誌（書）名をイタリックで表記したうえで、著者名、表題、掲載誌（書）名、巻・号、出版社名、発行年の順に記載する。また、必要に応じて、引用・参照箇所の頁数も示す。

（例）　Chris Brown, " Turtles All the Way Down: Anti-Foundationalism, Critical Theory and International Relations, " *Millennium*, vol. 23, no. 2, 1994, pp. 213-236.

（例）　John A. Agnew, " Timeless Space and State-Centrism: The Geographical Assumptions of International Relations Theory, " in Stephen J. Rosow, Naeem Inayatullah, Mark Rupert, eds., *The Global Economy as Political Space* (Boulder: Lynne Rienner, 1994), pp. 95-96.

（5）　反復引用・参照の場合には、以下のように表記する。

（例）　坂本、前掲論文、27 頁。

　　　　栗田・古在、前掲書、40-42 頁。

> 同上、42-46 頁。
>
> Agnew, *op. cit*., pp. 95-96.
>
> *Ibid*., p. 95.

（6） インターネット上にあるオンライン文献を引用・参照する場合には、利用した最新の年月日を丸括弧で括ったうえで、著者名、文献の名称、文献が掲載されているサイトの URL、最新アクセス年月日の順に記載する。

> （例） Daniel Culpan, " Pepper-Spraying Drones will be Used on Indian Protesters, "
>
> http://www.wired.co.uk/news/archive/2015-04/09/pepper-spraying-drones
>
> （2015 年 5 月 1 日アクセス）

（7） 上記のように、注において引用・参照文献を示す場合には、論文の末尾に引用・参照文献をアルファベット順に一括して記載する「参考文献リスト」は付けない。逆に、そのようなリストを論文の末尾に掲載する場合には、本文中に著者名、出版（発行）年、引用・参照箇所の頁数を示す方法も認める。ただし、その場合には、著者名、出版（発行）年、引用・参照箇所の頁数の全体を、丸括弧で括ること。

5－6　原稿の提出について

（1） 英文サマリーも含め、提出する原稿は、すべて完成原稿とする。

（2） 原稿は電子ファイルとし、メール添付方式で編集委員会に送付する。送付先メール・アドレスは、専用のメーリング・リストを通じて本学会事務局から会員に宛てて送信される「原稿募集の告知メール」や、本学会ホームページ（http://globalgovernance.jp/）に掲載される同種告知文を参照のこと（ただし、編集委員会が評者を選定、執筆を依頼する「書評」については、送付先を別に指定するものとする）。

（3） 論文本体の原稿と英文サマリーの原稿とは別ファイルとし、前者の提出時に後者も送付する。

5－7　校正について

（1） 校正段階での修正は、誤字・脱字の訂正など軽微な修正に限られる。行数の増減を伴う変更など「軽微」とは言えない修正については、これを認めない。

（2） 執筆者による校正は、原則として初校のみとする。執筆者は、指定された期間内（原則として、ゲラを受け取ってから 2 週間以内）に、校正が済んだゲラ刷りを印刷会社に返却する。

（3） 編集委員会は、執筆者が校了した校正刷りに校正をかけることができる。ただし、それは、表記の統一など形式上の修正に限られる。

6.　論文の査読

（1） 『グローバル・ガバナンス』は、4 種類からなる掲載原稿のうち、「論文」に査読制

を適用する。

（2）　投稿原稿の採否は、編集委員会が委嘱する 2 名の査読者による審査結果に基づいて、編集委員会が決定する。

（3）　原稿執筆者と査読者とは互いに匿名とする。

以上

2015 年 5 月 31 日制定

（2021 年 4 月 18 日　改定）

（2022 年 4 月 10 日　改定）

『グローバル・ガバナンス』
バックナンバー案内

『グローバル・ガバナンス』第 1～6 号の構成や主たる内容については、学会ウェブサイトの http://globalgovernance.jp/?page_id=525 からご覧いただけます。

投稿案内

　投稿を希望される方は、本誌収録の投稿規程をご覧ください。投稿は、グローバル・ガバナンス学会会員に限ります。入会ご希望の方は、学会ウェブサイト（http://globalgovernance.jp/）の「グローバル・ガバナンス学会の紹介」のページをご覧になり、所定の手続きをお取りください。

『グローバル・ガバナンス』編集委員会

赤星　　聖　編集委員（神戸大学）
小川　裕子　編集委員（東海大学）
畠山　京子　学会理事、編集主任（新潟県立大学）
山尾　　大　学会理事、編集副主任（九州大学）

The Study of Global Governance, Editorial Committee

Sho Akahoshi, Editor, Kobe University
Hiroko Ogawa, Editor, Tokai University
Kyoko Hatakeyama, Director, Editor, University of Niigata Prefecture
Dai Yamao, Director, Editor, Kyushu University

グローバル・ガバナンス　第9号　2023年3月

2023年3月31日　発行

発行所　　　グローバル・ガバナンス学会事務局
　　　　　　〒603-8587　京都市北区等持院北町56-1
　　　　　　　　　　　　立命館大学国際関係学部
　　　　　　　　　　　　足立研幾研究室
　　　　　　E-mail: secretariat@globalgovernance.jp

発行者　　　グローバル・ガバナンス学会

発売所　　　株式会社芦書房
　　　　　　〒101-0048　東京都千代田区神田司町2-5
　　　　　　電話 03-3293-0556　振替口座 00170-7-66145
